회사라는 이름의 가스라이팅

옥덕순 지음

목차

프롤로그

전생에 난 너무 많은 죄를 저질러서 대한민국 회사원으로 일할 수밖에 없는 운명을 가졌고 매일 죽음과 삶의 중간에 걸터앉은 좀비처럼 의욕 없이 시름시름 앓고만 있었다. 부잣집 딸이 아니기에 취직하고 버티고 참아왔지만 사실 난 오래전부터 알고 있었으니, 바로 난 직장인 팔자가 아니라는 것이다. 그 사실을 깨닫는 순간 좀비에서 사람이 된 것처럼 온몸에 피가 돌기 시작했고 여름 휴가비 100만 원을 포기할 정도로 난 과감해지고 용감하게 퇴사했다. 그야말로 진짜 내가 된 것이다.

그렇게 퇴사하고 프로퇴사러라는 별명이 생길까 봐 걱정하는 그때, 누가 봐도 부러워하는 대기업을 1년 만에 때려치운 사람들이 생각보다 많았고 미국에는 안티워크, 중국에는 탕핑족이라며 취직하지 않겠다는 무노동 열풍이 MZ세대를 중심으로 분 것이다. 특히 이들은 회사의 부당한 점을 누구보다 빨리 파악하고 타당하게 말할 수 있는 능력을 지녔다는 점이 나와 똑같았고, 그들 역시 이 회사 저 회사 방황하고 퇴사하며 무조건 참고 버티라는 말에 누구보다 힘들어했다.

지금 사는 게 사는 것 같지 않은 직장인이여, 당장 퇴사해라. 몸도 마음도 아프지만 참고 회사에 다니는 자들이여, 회사는 당신의 미래에 어떠한 관심도 없고 당신 인생을 전반적으로 불행하게 만들어도 죄책감을 느끼지 않는 자들이다.

프로 퇴사러, 혹은 이 회사 저 회사에서 방황하는 사람들이여, 근속기간이 짧다고 해서 스스로를 괴롭히지 말자. 반복적인 업무에 미래를 찾지 못하는 사람들이여, 회사에서 미래를 찾지 말자.

회사 사람들과 쉽게 융화되지 못하는 성격이라고 걱정하는 사람들이여, 본인의 성격이 못나서가 아니라 사장이 만들어 놓은 저급한 회사 분위기에 당신이 맞지 않은 것뿐이다.

이처럼 이 에세이는 너무나도 당연하게 넘겨왔던 회사생활에 의문점을 제기하는 '이상적이며 반사회주의적'인 글이다. 오히려 회사를 별문제 없이 다니는 사람에게는 방해만 되는 에세이일 것이다. 대신 이 세상 모두가 회사 편에 선다고 해도 끝까지 퇴사한 사람들 편에 서서 따지는 에세이, 패잔병처럼 끝까지 살아남아 맞서 싸우는 에세이라는 것을 나는 약속할 수 있다.

가끔은 논리적이지도 않고 타당하지도 않으며, 납득 안 가는 부분도 있겠지만 회사원이었을 때 느꼈던 부당함과 부조리의 실체를 끄집어내어 언급할 것이며 직장인이 기본적으로 가져야 할 편견, 펀더멘탈(Fundamentals)에 타협하지 않고 분석하며 연구할 것이다.

소설가 카뮈가 이런 말 했잖아. "나는 반항한다, 고로 우리는 존재한다." 물론 오늘도 직장인들은 겉으로 사장님 말에 네네 거리지만 마음속 깊숙한 곳에서는 자신이 다니는 회사를 박살내고 월급을 불태우며, 사장을 절박 아래로 밀어버리고 싶을 만큼 엄청난 반골 기질이 숨겨져 있다는 것을 나는 잘 알고 있기에 희망을 가지면서 쓴다.

PART 1
회사 좋으라고
만들어진 편견들

우리는 왜 퇴사를 무겁게 생각할까?

고통을 즐기는 마조히스트라면 모를까 타고난 직장인 체질이 어디 있겠는가. 마조히스트도 꼭 끼는 코르셋에 하이힐을 신으며 풀메이크업한 쎄끈한 언니가 때려주는 자극적인 맛을 좋아하지 지루하고 반복적인 회사 생활을 좋아하진 않을 것이다. 그런데도 회사원이 계속해서 회사에 다니는 이유는 바로 월급, 즉 돈 때문이고 그것은 마치 마약과도 같아서 꿈과 희망도 없는 사람을 일어서게 만들고 고통스러운 출근길을 버티게 하며 온갖 인격적인 모욕과 불합리함을 받고도 참게 만드는 힘이 있다. 즉 직장인 대부분이 회사에 다니는 이유는 자신의 꿈, 커리어, 일에 대한 보람 때문이 아닌 돈 때문이라고 할 수 있다.

그런데 만약 월급을 받아도 행복하지 않고 월급날도 기대되지 않는다면? 월급날이 되어도 또다시 찾아올 불행에 미리 우울감을 느껴 아무것도 하기 싫다면? 그건 바로 당신이 회사를 떠나야 하는 때가 왔다는 증거이자 온몸이 당신에게 보내는 퇴사 시그널이다.

과유불급이라고 해서 무조건 오래 한다고 해서 좋은 것이 아닌 그만두어야 할 때는 그만두어야 한다. 드라마도 끝내야 할 타이밍에는 종결해야 하고 그림도 더 이상 덧칠해서는 안 될 때는 그만두어야 하며 끝내야 할 인간관계는 과감하게 끊어야 현재에도 그렇고 미래에도 좋다.

그런데 퇴사만큼은 절대 해서는 안 되는 행동이라는 인식이 강하고 빨리 퇴사하는 사람들에게 사회생활을 잘 못하는 사람, 아직 철없는 사람, 어려서 뭣도 모르는 인내심 없는 사람이라고 낙인을 찍는다. 물론 회사 입장에서는 자주 퇴사하는 사람이 싫은 건 당연하지만 그 낙인이 싫어서 퇴사해야 할 타이밍을 잡지 못하는 직장인들이 생각보다 많다는 사실을 알고 있는가?

그 대표적인 사람이 바로 나다. 때는 내가 계약직으로 일했을 당시 동기들은 다른 회사로 이직하느라 바빴을 때 퇴사라는 게 나쁜 것이라는 생각에 이직 타이밍을 놓쳤고 그 결과, 실업급여를 주지 않으려는 꼼수인지 몰라도 일주일 정도 더 빠르게 퇴직시켰고 인수인계 기간조차 주지 않아서 전화상으로 인수인계했던 참 좋지 않은 대접을 받았던 기억이 난다. 그뿐만 아니라 나의 진가를 알아봐 줄 거라는 믿음을 가지며 3년 내내 최저임금만 받고 일했던 회사, 최악의 인간 폭탄이 있었기에 입사한 직원이 일주일 만에 도망쳤던 회사를 무려 반년이나 다니면서 건강이 나빠진 일, 그 모든 게 내가 퇴사에 대해서 너무 나쁘게 생각했기 때문이다.

우리가 회사에 다닐 때 기계 부품 중 하나가 된 것 같은 느낌이 드는 것은 기분 탓이 아닌 진실이고 우리가 수월하게 업무할 가능성이 조금이라도 없어진다면 과감하게 갈아치울 만큼 회사는 당신의 인생을 조금도 책임져 주지 않는다. 물론 회사는 회사만을 위해 충성해 주는 직원을 좋아하겠지. 조금이라도 써먹은 후에 최적의 타이밍에 퇴사해 주는 직원을 좋아하겠지. 하지만 앞서 말한 것처럼 회사는 당신의 미래보다 회사의 미래에 초점이 맞춰져 있고 천 년에 한 번 찾아올까 말까, 하는 엄청난 기회가 당신에게 온다고 해도 회사는 자신의 이익만을 고려해서 퇴사하지 말라고 종용한다. 회사가 원하는 것이 당신이 그 연봉에 그 취급을 받는 회사원으로 남는 것뿐이니깐.

이처럼 회사가 자신의 기준으로만 생각하니 회사원 역시 자신의 기준에 안 맞다 싶으면 퇴사하는 게 맞고 앞으로도 그런 분위기가 사회 전반적으로 뿌리 깊게 잡혀야 한다. 나처럼 주변인들의 낙인이 두려워서 퇴사해야 할 때 퇴사하지 못하는 피해자가 나와서는 안된다는 소리다. 학원이 마음에 안 들면 때려 친 후 자기에게 맞는 곳을 학원을 찾아가는 것처럼 회사도 나가고 싶을 때는 그냥 그만두고 다시 다니고 싶을 때는 다시 다니는 분위기가 이루어져야 한다. 어차피 학원만큼 널리고 널린 게 회사 아닌가?

다행히도 시대가 지날수록 퇴사의 의미가 가벼워지고 근속기간이 짧아지는 트랜드가 MZ세대 중심으로 오고 있으니, 미국 노동통계국 (BLS)의 지난 9월 직장인 재직기간 보고서에 따르면 1946~1965년생의 베이비붐 세대의 경우 한 직장에서 재직하는 평균값이 약 10년인데 반면, MZ세대의 근속기간은 2.8년이라고 한다.[1] 그리고 앞으로 이 기간은 점점 짧아질 것이라고 나는 추측한다. 이제 프로 퇴사러는 인내심 약한 직장인이 아닌 아주 기본적인 직장인의 모습이 될 거란 말이다.

참고 자료

1) wonjc6@newspim.com, 「MZ 세대가 주도하는 ′대(大) 퇴사 시대」, 『뉴스핌』, 2022년 10월 13일,
"https://www.newspim.com/news/view/20221012000838"

퇴사는 가슴이 시킨다.

고용은 왜 착한 행동으로 취급받는가

　잊었다 싶으면 올라오는 여드름 같은 뉴스 기사, XX회사에서 OO명 정규직으로 채용한다는 기사를 볼 때마다 회사에서 몇 명을 뽑는 게 뉴스에 나올 만큼 중요한 일인지 늘 궁금하다. 불황을 타파하기 위한 기업의 노력? 청년 실업 해소를 위한 선한 영향력? 언제부터 기업이 사람을 고용하기만 해도 칭찬받는 시대가 온 건가. 어째서 이익을 위해서라며 서슴지 않고 구조조정을 하는 회사들이 경제 불황의 유일한 구원자가 됐냐고요.

　자기들이 필요해서 고용해 놓고서는 동네방네 생색내는 모습은 마치 부모가 자녀에게 무언가 내세우고 싶은데 내세울 거리가 없어서 늘 말하는 레퍼토리, 내가 너를 낳았으니 감사해라, 내가 너를 키워준 것에 감사하라는 것과 매우 닮아 보인다. 하지만 아무리 그렇게 말해봤자 가슴 속에 감사함이 단 1g도 없는데 뭐 어떻게 감사하라는 말인지.

실제 OO명을 정규직으로 뽑겠다는 뉴스를 자세히 보면 연봉과 정년이 보장되는 사무직은 극소수이고 매년 몇백 명씩 비정규직으로 쓰는 생산직, 이직률이 높은 영업직, 마케팅팀을 정규직 전환해 놓고서는 정규직 뽑았다고 난리 치는 경우가 대부분이다. 분기마다 아웃소싱을 통해 비정규직을 수천 명씩 쓰고 위급한 상황에는 가차 없이 해고하는 회사들이 고작 OO명 정규직 전환했다고 동네방네 소문내는 것이다.

만약 회사가 공익을 위한 고용을 하려면 OECD 노인 빈곤율 1위를 생각해서 나이 많은 어르신들을 뽑아야 하고, 대학 졸업생과 고등학교 졸업생의 연봉 격차가 갈수록 벌어지는 것을 막기 위해 고졸 사원을 채용해야 하며, 치열하다 못해 너무 치열한 장애인 특별 채용에 뽑히지 못했던 장애인들을 더욱 많이 고용해야 한다. 물론 정년이 보장되고 상여금도 확실히 주는 정규직인 사무직으로 말이지. 그런 채용이야말로 봉사 정신과 자비심과 경제 불황 해소에 큰 도움이 되는 채용인데 그런 채용은 절대로, 그리고 앞으로도 할 계획이 없지 않은가.

그렇기에 나는 회사가 직원을 채용해 준 사실에 감사함을 느껴야 하는 이상한 사회 분위기에 동의하지 않는다. 다 필요해서 쓰는 거면서 뭔 국가의 발전이니 경제 불황을 해소하느니 마느니 말도 안 되는 소리 하는 걸까? 어째서 취업 준비생은 회사가 자신을 고용해

줬다는 사실에 감사함을 느껴야 해? 내가 라면 샀다고 해서 라면이 나한테 감사함을 느껴야 해?

회사는 참 좋겠다. 직원을 많이 뽑으면 경제 불황 해소에 도움을 줬다고 사람들이 고마워하고 직원을 해고하면 도대체 얼마나 버티기 힘들어서 잘렸냐며 동정해 주니깐. 이래저래 누구든 회사의 편을 들어주니깐 참 부럽다 부러워.

다만 예외적으로 사장이 지원자의 학력과 이력서도 보지 않고 오로지 순수한 마음으로만 뽑는, 오직 그 사람의 가능성만 보고 입사시킨 채용이 딱 하나 있긴 하다. 말로만 듣던 착한 고용? 힘든 사람에게 새 희망을 주는 선한 고용? 아니다. 낙하산이다. 오직 사장만이 자기 자식과 친척의 능력을 과대평가하고 뽑는 특별채용 말이다.

안 뽑아주셔서 감사합니다.
부품이 되지 않겠습니다.

보이지 않는 협박, 동종업계의 소문

대학교 졸업하고 처음으로 들어갔던 회사는 중견기업 계약직이었는데 내 평생 일했던 회사 동료 중 가장 마음이 맞았던 동료들이라 아직도 기억날 정도로 참 즐겁게 일했었다. 하지만 그 추억은 그리 길지 못했는데 계약직 동료 중 한 사람이 다른 회사에서 정규직 채용됐다며 퇴사했고, 또 한 사람은 좀 더 좋은 대학교로 편입하기 위해서 퇴사했기 때문이다.

결국 나 혼자 계약 기간을 다 채우고 퇴사한 후 대학교로 편입한 계약직 동료와 만났는데 그는 진짜 퇴사했던 이유에 대해서 이야기해 주었다. 사실 그 동료는 계약직으로 입사하기 전에도 그 중견기업에 이력서를 낼 정도로 애사심을 보였지만 불합격의 연속이었고 계약직으로 입사 후에도 채용공고가 나올 때마다 도전했지만 최종 면접에서 떨어지면서 결국 학벌이 문제라는 걸 깨닫고 좀 더 좋은 대학교로 편입했다는 것이다. 그 누구도 우습게 보지 않을 정도의 스펙을 가지기 위해서 말이지.

그 사실도 모른 채 우리의 직속 상사셨던 분은 물론 같이 일했던 직원들은 퇴사했던 동료를 틈만 나면 험담했고 같은 업종에서 일한다면 좋지 않은 소문에 취직이 힘들 거라는 저주 아닌 저주를 내렸다.

이해가 안 되네. 정규직 채용은 뭐 기대하지도 않았지만 계약연장도 해주지 않고 심지어 전화로 인수인계를 부탁하던 회사가, 그런양아치 같은 회사가 자기들의 행동은 전혀 기억 안 하고 동종업계의 소문을 조심하라고? 그 모습에 다시 한번 사람에 대한 환멸을느끼게 되었다.

원래 사람은 자기 자신을 꽤 괜찮은 사람이라는 생각하는 면을적잖게 가지고 있다. 도덕적이고 모범적이지만 어쩔 수 없이 나쁜짓을 저지르는 인간미 넘치는 사람이라면서 말이지. 그래서 자신이한 나쁜 행동은 깨끗이 잊고 조금 밉보이는 사람에게는 협박 아닌협박을 한다. 이 업계는 좁으니 내가 한번 소문내면 끝장난다는 식으로 말이지.

그런데 나 정말 진지하게 궁금한 점이 있는데 그놈의 동종업계소문이 그렇게 무서운가? 내가 봐 온 바로는 과거에도, 그리고 앞으로도 동종업계의 소문에 대한 협박은 한 귀로 듣고 한 귀로 흘려보내고 된다고 생각하는데 말이지. 왜냐면 동종업계 소문으로 타 회사에서까지 직접적으로 영향력을 미치려면 여러 가지 조건을 충족시켜야 하는데 그 조건을 충족시키기가 매우 어렵다는 것이다. 생각해 봐라. 소문을 퍼트린 사람이 다른 회사의 인사과에도 막강한 영향력을 끼칠 수 있는 사람도 아니고 직원이 많은 중견기업과 대기업인 경우는 동명이인도 많으며, 특히 가장 힘든 이유는 바로 사람의 기억력이 생각보다 짧기 때문이다. 퇴사하고 일주일만 지나도 그 사람의 이름을 잊어버리는데 동종업계의 소문은 무슨.

물론 뒷이야기 있는 것보다 없는 것이 좋긴 하지. 왜냐하면 사람들은 좋은 소식보다 나쁜 소식을 더 잘 퍼트리는 법이니깐. 하지만 "이 업계 좁은 거 알지? 우리 회사 하청 업체에 소문내면 끝이야. 미래가 두렵지도 않니? 퇴사할 때 사고 치면 동종업계에 나쁘게 소문나는 거 몰라?"라는 유치한 협박은 이제 초등학생에게도 통하지 않는다. 퇴사했어도 내 손아귀에 벗어나지 못한다는 협박은 애먼 소리란 말이다. 참 퇴사했으면 그냥 놓아줄 것이지 끝까지 어떻게 해서든 영향력을 끼치려는 회사 사람들, 역겹다 역겨워.

동종업계의 소문이 중요한 좁은 업계,
그리고 비좁은 마음.

회사는 효율적인 사람을 쓰지 않는다

　내가 해본 아르바이트 중 가장 재미있던 아르바이트는 방청객 아르바이트였다. 평소에도 호응과 경청을 잘한다는 소리를 들었는데 과연 내 실력이 제대로 발휘되었는지 아르바이트하자마자 맨 앞자리로 앉으면서 카메라 원샷을 받았다. 지금도 방청객 아르바이트가 있다면 당장이라도 하고 싶지만... 지방이라 그런지 방송국이 많이 없고 TO도 없기에 아쉬울 뿐이다. (내가 서울에 살았다면 방청객의 신으로 등극했을 텐데)

　그에 반해 가장 힘들었던 아르바이트는 설거지 아르바이트였는데 일은 일대로 힘들고 취급은 무슨 노예 취급 받으며 비위생적임에도 불구하고 방청객 아르바이트를 했을 때 받았던 임금과 똑같이 받았다는 사실이다. 어떤 일은 편하게 앉으며 재능도 인정받았는데 또 어떤 일은 음식물 쓰레기 냄새 맡으면서 했음에도 불구하고 받은 돈이 똑같다는 사실, 어이가 없지 않은가?

　이처럼 어린 시절에 읽었던 동화 개미와 베짱이와 달리 현실에서는 열심히 일한다고 해서 두둑한 보상을 받는 것이 아니고 논다고 해서 굶어 죽는 것도 아니다. 그건 회사에서도 마찬가지다. 분명 똑같이 일했음에도 불구하고 누구는 승진을 꼬박꼬박하고 누구는 만년 과장으로 살게 되니, 그렇다면 과연 승진의 천재들은 어떤 특징을 가지고 있을까.

학교에서는 우수한 성적을 받는 게 최고 덕목이지만 회사에서 최고로 평가받는 덕목은 바로 충성심, 즉 회사의 일원이 되겠다고 발버둥 치며 노력하는 모습이다. 왜 그럴까? 어째서 회사는 능력보다 충성심 많은 사원을 더 좋아할까. 의심이 많은 사회 분위기 때문에? 능력 있는 애들은 건방지지만 충성심 있는 애들은 착해서? 좀 더 쉽게 부려 먹기 좋아서? 정확한 이유는 모르겠지만 확실한 것은 예전에도 그렇고 지금 역시 회사에서는 충성심 높은 직원을 선호하고 그 충성심을 확인하는 요소가 바로 야근과 휴일 출근이라는 것이다.

그 진실도 모르는 몇몇 야망 넘치는 직원, 자기가 회사의 중심이고 자기가 회사의 기둥이라고 착각하는 신입사원들은 열심히 일했는데 왜 승진 안 되냐고 노발대발하는 경우가 있는데 한 번 더 말하지만 회사에서 가장 선호하는 직원은 변함없이 묵묵히 오래 일하는 사람이다. 톡톡 튀는 아이디어, 참신한 업무 방법은 예술의 세계에서나 어울리지, 창의성을 필요로 하는 영업직, 개발 부서조차 업무 대비 시간 효율성이 형편없어도 오래 다니는 직원을 승진시켜 준다.

그렇게 충성심을 최우선으로 삼다 보니 업무적인 면에서 효율성이 떨어지고 오히려 쉽게 할 수 있는 방법을 발견해 낸 직원에게는 튀는 녀석이라며 좋지 않은 시선을 보내는 일이 발생한다. 왜냐면 높은 직급의 사람들 역시 업무를 효율적이고 빠르게 하던 사람이 아닌, 충성심 있는 사람이었기에 그들의 참신한 아이디어는 게으름 피우려는 잔꾀로밖에 보이지 않기 때문이다. 그래서 한국 회사들이 노동시간을 긴데 노동생산성이 낮은 이유[1] 역시 모두 오래 일하면 일할수록 좋은 거로 생각하는 상사와 그렇게 노력하려는 부하 직원들 때문이다.

　　어떻게 보면 회사는 참 효율성이 떨어지는 집단이다. 물론 단골 가게를 쉽게 포기할 수 없는 것처럼 구관이 명관이라 익숙한 게 좋을 수도 있지만 80년 정통 국밥집에서 '변함없음'은 매력적인 요소지만 기업에게 '변함없음'은 뒤떨어짐, 지체됨, 변화를 못 받아들임, 효율성 하락처럼 부정적인 요소일 뿐인데 말이지.

참고 자료
1) 손해용 기자, 「獨보다 576시간 더 일하는 韓, 노동생산성은 38개국 중 27위」, 『중앙일보』, 2021년 8월 4일, "https://www.joongang.co.kr/article/24120703#home"

충성심으로 일어선 자,
충성심으로 망할 것이다.

회사는 무기력한 인재를 원한다

겉으로 내색하진 않지만 한국에서는 순종적인 사람에 대한 수요가 상당하다. 부모는 순종적인 자녀를 더 귀여워하고 선생은 순종적인 학생을 더 선호하며 애인 역시도 고분고분하고 순종적인 사람을 좋아한다. 이처럼 순종적인 사람에 대한 인식이 좋다 보니 월급이라는 생존권을 가지고 있는 회사 역시도 순종적인 회사원을 원하기에 취업 준비생들은 어떻게 하면 순종적인 사람으로 보일까 늘 고민한다. 이력서 사진 찍을 때 최대한 순해 보여야 하고, 간절함과 최선을 다하겠다는 단어로 범벅된 자기소개서를 쓰며, 주관은 있으나 상사의 말에 잘 따르겠다고 어필하는 면접을 보는 이유 역시 자신이 순종적인 사람이라는 걸 보여주기 위해서다.

그 사실을 인정 못 하는 몇몇 취업 준비생들은 대기업으로 가면 순종적인 사람을 원치 않고 능력 있는 사람을 선호하는 줄 아는데 뭐 미국에 있는 구글이나 애플처럼 성과주의를 기대하고 있는 건가? 내가 봐 온 바로는 더하면 더 했지 사람 많은 대기업일수록 손쉽게 통제할 수 있는 사람을 선호한다.

그렇다면 회사는 왜 이렇게 순종적인 사람을 원하는 걸까. 두 가지 이유가 있는데 하나는 한국이 대기업 중심 생산업계가 주를 이루다 보니 창의력 있는 창업형 인간보다 성실한 직원형 인간을 더 선호하고, 두 번째 이유는 군대식 문화가 사회 전반적으로 자리 잡은 국가이다 보니 회사 역시 군대식 문화로 이루어져 있고 충성심을 최우선의 가치로 여기면서 순종적인 사원을 원하는 것이다.

즉 회사는 인류의 발전과 회사 발전에 이바지를 할 수 있는 창업형 인재, 천재형 인재보다 상사에서 욕먹어도 오래도록 묵묵히 일하고 윗사람의 통제에도 별말 하지 않는 조용한 사람, 즉 순종적인 사람을 채용하려고 한다. 마치 영화 타이타닉 속 침몰하는 배 위에서 직업의 사명감을 가지며 끝까지 연주하는 악사 같은 사람 말이지.

그런데 그러한 분위기가 회사안에서 끝나면 문제없는데 자신의 장례를 결정지어야 하는 초등학교, 중고등학교, 심지어 대학교에서조차 그런 분위기가 형성 되어있고 자신이 좋아하는 것을 잘하는 재능보다 성실의 지표인 시험, 수행평가, 그리고 그에 대한 결과물인 학력으로 학생으로서의 성공 여부를 평가받았다. 자신이 뭘 잘하고 뭘 좋아하며 무엇을 해야 행복한지에 대한 진지한 고민은 한낱 학생의 일탈로만 평가받았다니깐? 그렇게 명문대를 졸업하면 또 성실의 지표인 토익과 자격증과 봉사활동과 취직하기 위해 노력했던 똥꼬쇼들을 이력서에 적고, 취직하면 성실의 지표를 다지기 위하여 경력을 쌓는 모습을 보여야 한다니. 참 회의감이 들지 않는가? 마치 우리의 어린 시절은 품질 좋은 직장인으로 만들어지기 위한 기간이 아닐까 하는 생각까지 든다.

따지고 보면 순종적인 사람과 무기력한 사람은 매우 비슷한 사람이다. 순종적인 사람과 무기력한 사람 모두 자신의 의견을 말해봤자 안될 거라는 걸 알고 포기하는 것으로부터 그러한 성격을 가지게 되니깐. 특히 회사에서는 정신적으로는 무기력하지만 육체적으로는 기운이 넘치는 사람, 즉 노예 마인드를 가진 젊은 사람을 선호하는데 그 이유는 모두 써먹기 좋으니까, 특히 젊으면 오래오래 써먹을 수 있어서 그렇다.

그대여. 혹시 초등학교에서 열심히 바이올린 배우고 그림 그리며 자신의 세계를 표현하는 작문을 하는가? 취직을 수월하게 하고 싶다면 당장 그만두도록 해라. 회사에서 가장 원하는 사람은 개성 없고 무기력한 사람이니깐.

나다운 모습을 좋아하지 않는 곳에서는
불안함만 있을 뿐이다.

직장인이여, 제발 야망 좀 가지지 좀 마라

회사에서 별의별 사람들을 다 만났고 인간 혐오증까지 걸릴 정도로 최악의 인간도 만났지만, 그 중 당연 최고로 꼽는 사람은 바로 야망이 넘치는 사람이었다. 야망을 가지는 게 좋은 거 아니냐고? 사람이 야망 좀 있어야 하지 않냐고? 맞는 말이다. 야망 없는 사람은 영혼이 없는 사람처럼 재미없을뿐더러 재미없는 미래도 가지고 있을 확률이 높으니깐. 그런데 하필 왜! 들어온 지 한 달도 안 되었는데! 모든 것을 배워야 하는 신입사원인데! 사장님병에 걸렸냐는 말이다.

이 회사 저 회사 다니다 보면 열정과 야망이 덩어리의 신입사원을 마주칠 때가 있다. 회사에 입사한 지 반년도 안됐음에도 불구하고 회사 시스템을 통째로 바꿔야 한다고 눈에 불을 켜고 자신이 하는 일을 부풀려서 팀장에게 보고하고 심지어 상사의 성과마저 가로챌 정도로 '유능함'에 매달리는 사람 말이다. 하지만 빈 수레가 요란하다고 열정에 비해서 일하는 요령은 부족하고 실수도 잦았는데 또 사장님처럼 명령하는 것은 그렇게 좋아해서 옆 사람의 피를 말리게 하는 특징이 있었다.

아직도 기억난다. 사장님병에 걸린 사원이 무려 2명이나 있어서 그들의 칭얼거림을 들어주느라 진이 빠지던 시절 말이다. 한 명은 자기가 부서에서 가장 중요한 사람이라 자신이 퇴사하면 회사 망한다며 생색을 냈고 또 한 명은 자신이 팀장이 되어서 싹 다 물갈이해야 한다는 소리나 할 정도였으니, 결국 그 사장님병 걸린 남자들보다 내가 먼저 퇴사하여 도망칠 정도로 그들과 함께했던 시간은 사장님을 두 명 모시는 것보다 더욱 끔찍했다.

사주팔자에 따르면 이러한 사람을 '상관살'이 많다고 칭하는데 자기 위에 있는 사람을 밀어내어 자신이 대장을 해야만 직성이 풀리고 누군가를 지시하고 가르치고 통솔해야 직성이 풀린다고 한다. 이런 사람이 잘 풀리면 사업가, 프리랜서, 영업직으로 활약하면서 대성하지만 잘 못 풀리면 완장질은 좋아하는데 실속도 없는 사람, 모든 사람들이 기피 하는 고집불통이 될 수 있다.

특히 이 고집불통들은 회사가 야망을 가진 사람을 원치 않는다는 진리를 절대 납득하지 않고 말단 사원에서 사장으로까지 올라가는 성공 신화의 주인공이 되어보려고 노력하지만 혼자 불타다가 혼자 타 죽는 사람이라서 성공 신화 스토리는 생각보다 빨리 조기 종영

하게 된다. 결국 번아웃에 걸려 대충 일하다가 자진 퇴사하는 경우
는 비일비재하다.

　이처럼 당신이 고용주가 아닌 고용인이고 회사에서 써줘야지만
밥 먹고 살 수 있는 입장이라면 제발 야망 좀 죽여라. 당신의 무한
한 가능성과 야망을 보여주고 싶다면 회사에 입사하지 말고 창업해
서 보여주란 말이다. 그렇게 잘났으면 1인 기업 차리라고.
　그렇게 창업한 후 깨지고 박살 나고, 자본금을 다 잃고, 자신이
생각보다 별로라는 것을 깨닫고 나서야 얌전해지면서 아무 회사에
나 입사하겠지. 그리고 그때쯤이면 회사라는 곳이 왜 이리 차갑고
열정과 열기가 없는 사람들이 많은지 알게 될 것이다. 그건 바로 당
신처럼 자신의 꿈과 야망을 스스로 죽이고 온 사람들만 회사에 다
니기 때문이다.

회사는 야망의 저승.

PART 2
하늘이 정해준
갑과 을의 관계

꼰대들의 롤모델, 군대

　사적인 자리에서 난 50~60대 아저씨를 만나면 저도 모르게 경계하고 거리를 둔다. 이유는 모르겠다. 그냥 본능인가보다. 그것도 아니면 "요즘 젊은 애들은 노력을…"이라는 철학에 시달렸던 기억이 떠올라서 그러나 보다.

　물론 모든 50~60대 아저씨들이 다 그렇다는 것은 아니다. 위트 있고 매너 있으며 푸근한 성격과 카리스마 가진 젠틀맨도 많으니까. 다만 카페에서 고래고래 소리 지르고 아르바이트생에게 갑질하며 터질 것 같은 배를 내밀며 자기가 세상의 모든 중심인 것처럼 처음 보는 젊은 사람에게 반말 찍찍 날리는 사람 중에 X세대 아저씨들이 제법 있다는 사실이다. 젊은 시절에는 남아선호사상으로, 결혼하고 나서는 아빠 힘내세요! 열풍으로 오만곳에서 응원해 주니깐 기세등등해진 건가? 많은 거 안 바라고 그냥 평범한 아저씨였으면 좋겠는데 왜 이곳저곳에서 싸움을 붙이려는 걸까.

　만약 모르는 사람이라면 그냥 피하겠지만 하필 그들은 회사에서 중요한 요직에 자리 잡고 있다 보니 피할 수 없다는 게 문제다.

50대 사무직 여직원은 전설 속의 유니콘처럼 몇몇 빼고는 존재하지 않는 것과 달리, 남직원은 그즈음에 차장부터 임원진까지 회사에서 절대 빠져서는 안 되는 중요 인물이 된다. 동시에 리더쉽을 필요로 하는 위치에 서게 되지만 문제는 그들 대부분이 시키는 대로 일만 했을 뿐 막상 리더쉽을 어떻게 발휘해야 할지 몰라 한다는 것이다. 그래서 그들은 자신의 앞 전 선배들이 했던 리더쉽을 그대로 따라 하게 되고 회사가 다른 모임보다 시대에 뒤떨어지고 답답한 이유는 바로 윗윗세대의 오래된 리더쉽을 그대로 모방한 무지한 리더들 때문이다.

보통 무지한 리더들이 많이 표방하는 리더의 모습은 군대 장교인데, "복종 안 해? 안 하면 사살!"이라는 마인드를 가지며 "복종 안 해? 그러면 회사에서 나가!"라는 모습을 보여준다. 회사가 무슨 학교 나며 일을 알려 주는 것에 생색내고 신입사원들이 머리 싸매며 괴로워하면 이게 냉정한 사회생활이라며 온갖 텃세를 부리고, 충성심을 확인한다는 명목으로 일을 효율적으로 하는 직원보다 무식하게 회사에서 오래 남은 직원을 선호하는 것도 모두 군대에서나 쓰일법할 리더쉽을 표방했기 때문이다.

그러면 이 군대식 리더쉽이 좋느냐... 글쎄다. 우리가 알고 있는 대한민국 직장의 문제점 대부분이 이러한 리더쉽 때문이고 MZ세대는 물론 외국인들이 한국 직장을 기피하고 있는 이유도 모두 그러한 리더쉽으로 생긴 한국만의 직장 문화 때문이다.

그럼에도 불구하고 군대식 리더쉽이 아직도 많은 회사에서 쓰이는 이유는 그 리더쉽이 윗계급일수록 편해서 리더들이 바꾸고 싶은 마음이 없어서인데, 얼마나 편해! 알아서 착착, 의견 조율할 필요도 없이 자기 말에 착착. 거기다가 리더쉽에 문제 있는지 스스로 체크할 필요도 없을 정도로 아랫사람과의 커뮤니케이션이 불가능하고 오직 명령만 내릴 수 있어서 윗사람에게는 이상적인 시스템이 아닐 수가 없다. 다만 편한 것에는 대가가 있으니 리더 스스로가 자신을 되돌아보는 능력이 떨어지고 부끄러움이 없어지며 뭔 사건이 터지고 나서야 부랴부랴 대처하는 굼벵이로 변한다는 것이다.

이제야 개저씨들이 왜 여종업원에게 무례한지 감이 잡히는가? 회사에서 군대식 리더쉽을 보여주는 리더들의 나이대가 대부분 아저씨고 그것을 회사 밖 전혀 관계없는 사람들에게까지 쓰면서 "나는 윗직급, 너는 아래직급. 까라면 까 무슨 말이 많아!"라는 마인드로 카페 종업원과 음식점 여직원에게 대하기 때문이다. 마치 드라마 속 악역이 진짜 나쁜 사람인 줄 알고 연예인을 때리고 욕하는 아주머니처럼 상황을 구분하는 능력이 떨어진다는 소리다.

그런데 최근에는 30대 후반 개저씨들도 그 문제 많은 리더쉽의

참맛을 깨달아 버려서 젊은 꼰대가 되어버렸으니 어디서 이상한 것만 배워서 갑질과 눈치 주기에 도가 터서 "요오즘 신입사원은, 요오즘 MZ세대들은 버릇이 없다!"라며 앞 전 꼰대보다 더 열성적으로 갑질 놀이하고 있다. 특히 그들은 인터넷에까지 능통한 나이대다 보니 버릇없는 요즘 것들에 대해서 인터넷에 공유하고 올리는데 막상 그들이 쓴 "요즘 것들은"에 대한 한탄글을 보면 과거 그들이 욕했던 꼰대들하고 뭐가 다른지 모르겠다. 요즘 타령하는 것도 똑같고, 버릇 타령하는 것도 똑같고, 예의 타령하는 것도 똑같고, 눈치 타령하는 것도 완전 똑같은데? 꼰대들에게 온갖 고충을 당했으니 이제 자기도 마음껏 꼰대질해 보겠다, 뭐 이런 건가? 몇천 년 동안 이어진 꼰대의 쇠사슬은 언제쯤 부서질 수 있을까?

마약 중독자는
태어날 때부터 정해져 있지 않다.
그것에 맛 들여서 그렇게 될 뿐.

젊은 꼰대 전성시대

꼰대하면 우리는 담배 냄새에 찌든 유니폼을 입고 말끝마다 욕 날리는 40~50대 아저씨를 생각할 수 있지만 막상 저런 아저씨들은 인터넷에서 꼰대라는 말을 어떻게 들었는지 젊은 사원하고 어울리지 않고 슬금슬금 피한다. 그러면 이제 꼰대로부터 해방된 건가? 꼰대라는 단어는 이제 사라지고 없는 건가? 그렇지 않다. 꼰대의 정신을 물려받고 꼰대의 맛을 제대로 알아버린 자가 있었으니, 그들은 바로 젊은 꼰대다.

그래도 아직은 젊으니까, 매번 바뀌는 신조어도 빠삭하게 알 정도로 트렌드에 민감한 사람이니깐 조금은 유연한 사고를 가졌겠지? 라고 생각한다면 큰코다친다. 그들은 과거 대학 순위부터 학과 순위며 핸드폰, 자동차까지 서열을 나누던 인터넷을 그 누구보다 많이 접했던 사람들이다.

늙은 꼰대가 나 때는 하면서 내가 먼저 겪어본 경험으로 찍어 누른다면 젊은 꼰대는 과거 인터넷에서 배운 서열질의 우위로 찍어 누른다. 즉 내가 이만큼 높은 서열을 가지고 있으니 상대가 알아서 꿇고 알아서 배워야 하는 자세를 가져야 한다고 생각하는 것이다. 심한 경우는 본인의 경험만이 다른 사람의 경험보다 훨씬 위대하고 본인의 행동만이 사장보다 훨씬 더 영향력이 있다고 착각하기도 한다.

만약 부하 직원이 따르지 않는다? 그러면 자신이 왜 너보다 윗서열인지 '경험 팩트'를 빌미로 행동을 강요하는데 재미있게도 그들이 말하는 팩트라는 것은 과거 대학 순위 서열을 올리기 위해서 가져온 검증 되지 않는 진실, 주관성이 과도하게 들어간 정보, 가짜 뉴스처럼 전혀 신임이 가지 않는다는 것이다. 마치 과거 꼰대들이 '내가 해봐서 아는 건데'처럼 모두에게 적용될 수 있는 진리가 아님에도 불구하고 자기 영향력과 권위를 놓치기 싫기에 무조건 맞다고, 그게 진실이고 팩트라며 바득바득 우긴다.

이렇게 젊은 꼰대와 늙은 꼰대는 뭔가 다른 듯하면서 매우 닮았지만 젊은 꼰대가 한 수 더 진상인 이유는 바로 자기보다 서열이 높은 사람에게도 불만을 표한다는 것이다. 분명 팩트에 따르면 자신이 가장 현명하고 유능한데 윗선배들은 운이 좋아서, 아랫사람들은 혜택을 받으면서 내게 기어오르려고 한다며 위험하고도 편협한 생각을 아무렇지도 않게 한다.

흥미로운 사실은 불만투성이인 젊은 꼰대들이 가장 좋아하는 사람은 자신과 정반대인 순종적인 사람, 즉 자기 말에 고개를 끄덕이는 사람을 선호한다는 점이다. 자신의 팩트가 진리라고 동의해 주는 사람, 당신 덕분에 큰 도움을 받았다는 사람, 나의 인생 스승이자 지도자라고 존경을 표하는 사람, 과거 꼰대들이 좋아할 법할 사람이 젊은 꼰대가 좋아하는 사람이라는 게 소름 돋을 정도로 신기하다.

그들의 모습은 마치 칼융의 이론 속 가부장제 남성과 매우 닮았는데, 강력한 남성성을 최고의 가치로 여기는 가부장제에서 남자들은 연약한 아니마를 가지게 되고 그러다 보니 자신의 약한 아니마를 건드리지 않는 약한 여성을 가부장제 사회에서 선호한다고 한다. 이처럼 강해 보이고 싶은 젊은 꼰대의 내면에는 약하고 인정받고 싶어 하는 아이가 있고 만약 이런 아이를 건드리게 되면 젊은 꼰대는 또다시 불완전한 진리인 팩트를 빌미로 당신을 쏘아붙이겠지.

이 글을 보는 당신, 네네 거릴 준비는 되어있는가? 젊은 꼰대의 약하디약한 속내를 건드리지 않을 준비가 되어있는가?

나이 먹었다고 현명해지는 것도 아니고
젊다고 해서 용감한 것도 아니다.

사장 보기를 인턴 보듯이 하라

  사회생활을 하다 보면 암묵적으로 지켜야 하는 '진짜 사회생활 용어'라는 게 있다. 예를 들어 "천천히 해"는 "약속 다 취소하고 당장 그 작업부터 먼저 해"라는 뜻이고 "○○직원은 깔끔하게 엑셀 작업을 참 잘하더라"는 "앞으로 엑셀 작업은 싹 다 ○○가 해라"는 뜻이다. "출근 시간"의 진짜 숨은 뜻은 "절대 그 시간에 출근해서는 안 되는 시간"이고 "퇴근 시간"은 "고무줄처럼 늘어나기만 할 뿐 절대 줄어들 일이 없는 시간"을 뜻한다.

  이처럼 숨겨진 사회생활 용어를 빨리 숙지한 사람은 싹싹하고 뭘 좀 아는 회사원, 늦게 아는 사람은 눈치 없고 분위기 파악 못 하는 회사원으로 낙인찍히기 쉬우니 회사에 취직했다면 그 회사에서 통하는 사회생활 용어를 빨리 숙지하도록 하자. 그중 가장 먼저 숙지해야 하는 사회생활 용어가 있다면 바로 사장은 "주인", 회사원은 "노예"라는 용어다.

알다시피 대한민국은 노예제가 폐지되어 주종관계가 없다. (만약 주인과 노예 관계를 요구하는 변태 아저씨나 이상한 농장이 있으면 경찰서로 달려가 대한민국 법의 힘을 제대로 보여주자) 그런데 주종관계라고 대놓고 표현하지 않아도 말투, 태도, 자세 그 모든 면에서 자신이 주인인 것처럼 행동하고 누구는 반대로 노예인 것처럼 행동하는 사람이 있다면 어떻게 될까? 말로만 표현 안 했을 뿐 그건 명백한 주인과 노예 관계고 특히 우리는 그러한 관계를 사장과 사원 사이에서 많이 찾아볼 수 있다.

　사장이 사무실로 들어오면 사원이 벌떡 일어나 사장의 눈치를 살피는 모습, 사장이 아무렇지도 않게 직원에게 커피 심부름을 시키는 모습, 또 직원은 부랴부랴 탕비실로 달려가 정성스럽게 커피를 타서 두 손 공손하게 건네주는 모습, 이러한 모습을 우린 일상적인 회사생활이라고 생각하겠지만 분명 둘의 관계는 근로계약서에 따르면 사장과 고용인(또는 사용자)의 관계일뿐 그 이상 그 이하도 아니다. 그런데 어째서 사장은 왕인 것처럼 거만하게 행동하고 직원 역시 부하인 것처럼 업무와 전혀 상관없는 커피를 당연하게 타 주는 것일까.

　이처럼 우리는 '사장님'에 대한 무거운 인식을 좀 가볍게 할 필요가 있다. 사장은 근로계약서 그대로 고용인일 뿐이고 회사원은 커피 심부름과 굽신거리는 태도를 보여줘야 하는 사람이 절대 아니다. 물론 사장이 업무적인 면에서 최종결정권을 가지고 있고 모든 부서장을 통솔해야 하는 중요한 위치에 있는 건 명백한 사실이지만 사장 역시 자신의 위치에서 자신의 업무를 착실하게 수행해야 한다는 점에서 일반 사원과 다를 바가 없다.

면접을 앞두고 회사로 가던 중 불쌍한 사람이 보여서 도와드렸더니 알고 보니 대기업 사장님?! 그에 대한 보답으로 대기업에 입사하게 되고 파격 승진한 취업 준비생의 이야기에 우리는 감동해서는 안 된다. 오히려 능력이 제대로 검증되지도 않았음에도 사장의 말 한마디에 일사천리로 진행된 그 회사 환경에 더욱 의심해 봐야 한다. 사장의 말 한마디에 고용되고 승진된다는 말은 즉, 사장의 말 한마디에 좌천되고 짤릴 수 있다는 뜻이기도 하다. 오히려 사장 마음대로 모든 것을 할 수 있는 직장이 뭔가 이상하다는 것을 한 번쯤 의심해 봐야 하지 않을까?

뭐 갑자기 하루아침에 사장 앞에서 얼굴 빳빳이 들고 인사 하지 말자는 소리가 아니다. 적어도 사장이 직원에게 목인사를 할 때 폴더블 폰처럼 접어서 인사하는 것이 아닌 똑같이 목인사 하는 날이 왔으면 좋겠다는 말이다. 동시에 " 사장님 힘내세요♪ 우리가 있잖아요♪"라고 경기가 힘들 때 간간이 나오는 이런 거지 같은 응원송도 제발 안 나왔으면 좋겠다. 사장이 맨몸으로 땅 파서 용돈을 주는 아버지 같은 존재도 아니고 당신의 손에 쥐여 준 월급은 자비심에서 주는 것이 아닌 당신이 정당하게 일해서 번 노동력의 산물이다. 그런데 왜 월급을 받는 것에 눈치받고 월급 주는 사장에게 감사함을 느껴야 하는가. 제때 임금을 챙겨주셔서 감사합니다? 임금체불이 아닌 것만으로도 감사합니다? 한국은 참 사업하기 좋은 국가인 것 같다. 이런 노예 마인드 가진 사람들이 널리고 널렸으니깐.

모든 철학의 종착지는 자유다.

최저임금이 오르지 않길 바라는 사람들

최저임금이 인상될 때마다 사장님들의 곡소리가 들려온다. 아이고 아이고, 사람 하나 쓰기 힘드네. 그와 동시에 가게 문을 닫고 많은 사람들의 일자리가 사라지게 될 것이라며 협박 아닌 협박까지 한다. 그 말을 순진하게 믿는 몇몇 근로자들은 정말로 자기 직장이 하루아침에 사라질까 봐 전전긍긍하며 다른 근로자들에게 우리 사장님이 힘들어하시니 최저임금 인상은 좋지 않은 것이라고 설파하고 다니고 있으니, 자신보다 타인을 생각하는 대단한 정신의 소유자가 아닐 수 없다.

자, 그렇다면 월급은 어떨까? 그렇게 최저임금 인상이 좋지 않은 것이라면 직장인의 월급 인상 역시 좋지 않은 것 아닌가? 생각해 봐라. 그것 역시 사장님의 등허리를 휘게 만드는 요소잖아. "김대리, 월급 인상됐다며? 사장님과 회사 생각해서 월급 내려"라는 사연이 인터넷에 올라오면 어떻게 될까? '좋아요'와 '추천' 수십만 개씩 받으며 그 말을 했던 사람의 신상정보가 유출되어 욕이란 욕을 다 먹을 것이 뻔하지. 그런데 유독 최저임금에서만 가혹하게 양보하라는 소상공인들이 많은 이유는 무엇일까.

　이유는 간단하다. 소상공인에게 있어서 최저임금은 최후의 보루이기 때문이다. 부족한 일손을 가장 저렴하게 구하는 방법은 최저임금을 주며 사람을 뽑는 것이고 이 최저임금은 아르바이트를 넘어서 직장에서 초봉, 혹은 평균임금의 형태로 채택된 곳이 많다. 그야말로 최저임금은 근로자와 고용주 사이의 DMZ이자 정부가 정해준 최소 월급과 마찬가지다.

　그렇다 보니 고용주들은 조금이라도 저렴한 가격에 노동력을 제공받고 싶어서 최저임금 공격에 열을 올리고 최저임금 때문에 생기는 문제점, 물가가 올라가는 이유 역시 최저임금 때문이라는 뭔 말 같지도 않은 말을 주장한다. 최저임금이 오르니깐 모든 것이 오른다고? 최저임금이 인상되지 않았을 때도 오징어가 안 잡힌다, 토마토가 없다, 기름값이 올랐다, 옆 가게도 올렸으니 나도 올린다, 뭐다 뭐다 이유로 잘만 올렸으면서.

　회사가 근근이 먹고살기 위해 물가를 올리는 것처럼 근로자들도 근근이 살아가기 위해서 최저임금을 올려야만 한다. 최저임금 인상을 바라는 근로자에게 욕심이 그득그득하다고 손가락질하던 사장은 왜 물가 인상에서는 어쩔 수 없다고 말하는 건 무슨 심보인가. 근로자는 하늘에서 뚝 떨어져서 돈 욕심 없이 일만 하는 노예처럼 보이는가? 그 외중에 조금이라도 젊은 사람, 예쁜 사람, 말 잘 듣는 사람, 학력 높은 사람을 뽑으려고 하면서.

그럼에도 불구하고 아직도 최저임금 때문에 등허리 휜다고 말하는 사장님이 있다면 그냥 사업을 접으시고 넉넉한 최저임금 받는 아르바이트 하시는 것을 추천 드린다. 굳이 왜 비싼 최저임금을 두고 적은 돈을 버시면서 사장님 자리를 놓치지 않는 건데? 사장이라는 직급이 주는 혜택이 있고 그 혜택을 놓치기 싫어서 그러는 거잖아. 무언가를 지휘할 수 있는 직급, 더 많은 수익을 낼 수 있는 장래성, 평가받을 필요가 없는 위치, 그렇게 좋은 요소가 있기에 그 직급을 유지하고 싶은 거잖아. 사장은 태어날 때부터 사장이고 근로자는 태어날 때부터 근로자인가?

아직도 공산주의 국가처럼 적게 벌고 다 같이 행복 하자고, 기업을 위해 노력하면 기업도 근로자에게 감사해하며 혜택을 줄지도 모른다고 말하는 사람들이 있는데 난 절대로 그런 짓 못 하겠다. 애초에 근로자의 권리는 기업들이 주지 않았다. 근로자의 권리는 같은 근로자들의 투쟁 끝에 얻어낸 것이다. 앞으로 잘 부탁한다면서 복종하며 얻어낸 것이 아니란 말이다.

또한 고용주들은 최저임금 인하에 단결할 힘은 있으면서 대기업의 횡포와 건물주에게 월세 좀 깎아달라고 시위는 하지 않더라고

원래 강자에게 약하고 약자에게 강한 것이 세상 만물의 생존전략이
라고 하지만 그건 너무 비겁하지 않은가?

직원은 최고만 뽑으려고 하면서
임금은 왜 최저일까.

누구를 위해 눈치 기술을 배우나

몇몇 외국인들은 한국이 친절하고 따뜻하며 정이 많은 국가라고 생각한다. 하긴 한국말이 아닌 영어로 물어봐도 더듬더듬 대답해 주고 두유 노우 김치? 할 때 김치 안다고 빈말하면 서비스 팍팍 줄 정도로 인정이 많긴 하지. 그런 정문화에게 빠져서 귀화까지 하는 외국인이 있을 정도로 정문화는 한국의 자랑이자 대표적인 문화로 자리 잡았고 정(情)이라는 감정 역시 한(恨)과 더불어 한국인의 대표적인 감정으로 자리 잡았다. 그런데 과연 모든 외국인이 한국인의 따뜻한 정을 느꼈을까?

외국인들은 한국인들이 꽤 까다로운 조건을 충족해야만 정을 준다는 사실을 모르고 있다. 먼저 백인이어야 한다는 점, GDP가 높은 국가 출신 사람, 유명인, 돈이 많다고 소문난 외국 사람만이 한국인의 극진한 정을 느낄 수 있고 흑인이나 동남아 사람, 이슬람 사람은 한국인의 정은 커녕 오히려 무시와 핍박을 받을 수 있다.

정말 같은 한국인이 맞을까 깊을 정도로 대접이 180도로 바뀌는데 이는 모두 한국인들이 자기편, 혹은 자신들보다 뭔가 위에 있다고 생각하는 사람에게만 정을 표출하고 아닌 사람에게는 냉혹하다 못해 깎아내리는 이중적인 정문화 때문이다.

그러면 여기서 질문, 이런 이중적인 정문화를 가지고 있는 한국인은 같은 한국인을 대할 때 어떻게 대할까?

처음 만나자마자 상대방의 서열을 파악하려고 직업과 나이를 먼저 물어보는 것은 기본, 사는 집을 물어보고 그 집이 누구 소유인지, 가격이 얼마인지 조사하며 서열 탐색전에 들어간다. 물론 초면에 마땅히 할 말이 없으니 서로의 대화 물꼬를 틀어보려고 나이와 직업을 물어보는 사람도 있겠지만 남녀노소 가리지 않고 세대를 가리지 않는 탐색전, 즉 '초면부터 서열 매기기'가 한국의 정문화만큼 특별한 문화로 자리 잡은 건 부정할 수 없는 사실이다. 나이 드신 어르신들의 "니 몇 살이고!"와 어린애들의 "너 어느 동네 살아? 집 전세 얼마야?"로 어떻게 해서든 서열을 나누려는 모습은 현재에도, 그리고 앞으로도 쭉 보게 될 테니까.

그러면 도대체 왜 초면에 서로의 서열을 파악하는 문화가 생길걸까? 뭐긴 뭐야. 한국 사람은 동등한 사이를 서툴러 해서 그렇지뭐. 누군가를 대접해 주거나 혹은 대접받는 위치 외에 동등한 관계에서 오는 동등한 커뮤니케이션을 한국 사람들은 많이, 그리고 오래접할 기회가 없었다. 서열 문화, 즉 군대 문화가 학교는 물론 회사까지 모두 장악한 이 나라에서 동등한 커뮤니케이션은 꿈일 뿐 내가 몇 살인지 알아? 내가 어디 회사에 다니고 있는지 알아? 라고 막걸리 한잔 마시고 얼굴 벌게진 아저씨들이 판을 치는 이유는 모두 내 서열이니 이 정도 되니 알아서 기라는 무언의 압박이자 서열 문화가 한국을 장악했다는 증거다.

일상생활에서도 이 정도인데 회사에서는 그 문화가 100배 증폭되어 사장은 회사원을 같이 일하는 존재가 아닌 반말하고 잡심부름 시켜도 되는 존재로 보고 심지어 한국은 고맥락 사회(적은 의사소통 대신 행동, 몸짓, 분위기 등에서 의미 전달되는 사회)이기 때문에 말로 대놓고 표현하는 것이 아닌, 엣헴! 으흠! 같은 헛기침만으로도 아랫사람들이 자신의 의도를 파악해 주길 바란다. 그러다 보니 회사에서는 눈치라는 것이 직장인이 가져야 하는 필수 덕목이 되었고 외국에서는 이 현상이 너무도 신기했는지 <the power of nunchi>라는 책을 발간할 정도로 한국의 눈치 문화는 한국에서만 있는 서열 문화만큼이나마 독특한 문화로 자리 잡을 정도기 됐다.
안 그래도 서열 문화 때문에 피가 마르는 불쌍한 직장인들은 서열 문화와 고맥락 사회의 결합으로 탄생 된 눈치 문화 때문에 오늘도 엄청난 정신 소모를 하고 있으니, 직장생활을 해본 사람은 다 알 텐데 이 눈치 보기 기술은 엄청난 정신력을 필요로 하는 대단히 힘든 작업이다. 물론 서비스업은 눈치 기술이 하나의 업무 능력이지만 문제는 생산직부터 프로그래머까지 원치 않아도 눈치 기술을 배워야 한다는 점이다. 사장의 혀 차는 소리의 숨은 뜻을 재빨리 파악해야 하고 담배 피우시다가 엣헴 거리는 소리는 커피 땡긴다는 뜻이라는 걸 알아차려야 하니, 이것만큼 커리어에 도움 안 되는 능력도 있을까 싶다.

  과거 초코빵 광고 중에 "말하지도 않아도 알아요~"라는 노래 가사가 있었는데 혹시 그건 한국이 고맥락 사회이고 눈치 문화가 있는 국가라는 것을 알려 주는 광고가 아니었을까? 흙수저 너희들은 말하지 않아도 사장님의 마음을 알아차려야 하는 직장인의 운명을 타고났다는 걸 보여주는 신탁이 아니었을까?
  나는 말을 안 하면서 자신의 숨은 뜻을 알아주길 바라는 윗사람의 게으름이 너무 싫다. 뚫린 입이 있음에도 불구하고 무슨 드래곤볼 기싸움처럼 분위기로 말하는 회사문화가 너무 싫다. 365일 눈알을 굴리고 작은 행동에 큰 의미를 부여하며, 파악하고 분석하고 그것에 대해서 계속해서 신경 써야 하는 정신 소모가 너무 지치고 힘들다.
  이럴 줄 알았으면 저 초코 디저트 빵 먹던 어린 시절에 삼성전자 주식이나 사 놓을걸. 그러면 눈치 싸움 해야 하는 회사 생활을 할 필요도 없었을 텐데.

눈칫밥이란 먹으면 먹을수록
배가 고파지는 밥.

통솔자의 게으름으로 만들어진 운명공동체

대학 시절의 나는 너무도 혈기 왕성한 애라 뭐든지 도맡아 하기 좋아했고 한국 대학생들이 기피하던 조별 과제 발표 역시 내가 자처하면서까지 했다. 내 인생의 첫 조별 과제, 그때를 생각하면 나 아니었으면 그 조는 쫑나지 않았을까 싶을 정도로 문제가 많은 팀이었지. 발표하는 것도 부끄러워해, PPT 만드는 것도 못 해, 어디 책에 있는 내용 그대로 가져오는 방법 외에는 몰랐지만 다행히도 나의 나서기 좋아하는 성격 덕분에 PPT 제작과 발표의 문제가 해결됐다. 하지만 내 학점은 발표하지 않았던 조원과 PPT 제작에 참여하지 않았던 조원과 똑같은 점수를 받았으니, 뭐 운명공동체처럼 학점도 똑같이 받으라는 건가? 거지 같은 운명공동체 같으니라고.

도대체 누가 운명공동체라는 저주받은 단어를 만들었을까. 자신의 운명은 자신의 것이지 왜 일면식도 없는 사람들과 함께해야 하냐고요. 실제 나 말고도 많은 사람들이 운명공동체로 묶이는 조별 과제,

조별 발표, 팀별 수행평가를 경험하고 나서 다시는 그것을 경험하고 싶지 않다고 말할 만큼 그 누구도 좋아하지 않았다. 반면 지도자의 위치에 있는 사람, 특히 게으른 교수는 각자의 실력을 고려해서 학점을 매기는 것에 대한 수고로움을 피하고자 공동체 훈련이라는 명목으로, 요즘 대학생들은 단합력이 필요하다는 변명으로 조별 과제로 학점을 통일하는 것을 좋아한다. 만약 학점에 불만이 있는 학생이 나타난다? 그러면 통솔력을 발휘할 필요도 없이 운명공동체라는 이유로 같은 조원에게 문제를 떠넘기면 되고 얼마나 편해.

교수만이 아닌 직원을 고용하고 직원을 평가해야 하는 회사 팀장들 역시 한 사람, 한 사람 평가하는 것을 귀찮아해서 학벌, 집안, 지역, 인맥을 보고 그가 속해 있는 운명공동체를 파악하며 그와 연관시켜 평가하는 사람들이 많다. 현재 한국의 대표적인 문제인 학벌 차별, 지역 차별, 집안 차별, 심지어 배우자의 직업까지 묻는 황당한 면접이 있는 이유 역시 모두 구직자 한 사람을 보고 평가하기 귀찮아서 그가 속한 운명공동체가 무엇인지 알아내려고 하기 때문이다. (물론 뛰어난 배경을 가진 사람은 뛰어날 확률이 높지만 학벌 만능주의, 학력 위조까지 나올 정도로 그 편견이 너무 지나쳐서 문제다)

게으른 지도자의 문제는 그뿐만이 아니다. 스스로 알아서 굴러가는 것, 자신이 통솔력을 발휘하지 않아도 되는 상태를 좋아하기 때문에 직장 내 따돌림, 회사 내부고발 보복 문제, 성추행 문제처럼 소수의 피해자가 나오는 사건에 대해서 큰 관심을 가지지 않는다. 마치 자신의 반에 학교폭력이 발생하는 걸 담임 선생이 알고 있음에도 불구하고 본인 직업에 대한 사명감은커녕 자기 퇴근 시간이 됐다고 퇴근해 버리는 선생처럼 말이다.

결국 사건이 공론화되면 너희들이 만든 운명공동체라는 이유로 너희들이 책임지고 너희들이 알아서 해결하라고 발만 동동 구르는 모습을 보여주는데 어째서 현명한 사람이 지도자가 돼야 하는지 잘 보여주는 사례가 아닐 수 없다. 그럴 거면 팀장이라는 건 왜 있는 건데. 선생은 왜 있는 거야. 운명공동체라는 이유로 책임감을 떠넘길 거면 지도자가 있을 필요가 없다.

많은 대학생이 조별 과제에 분노하고 불합리하다고 말하지만 대학교를 졸업하고 직장이라는 곳에서 들어가면 평생 조별 과제를 해야 한다는 사실을 대학생들은 알고 있을까? 하긴 그 사실을 알면 졸업하기 싫어지겠지.

단 한 사람이라도 불공정함을 느낀다면
언젠가 그곳은 와해 될 조직이다.

용기의 대물림

회사 때려치우고 주식과 로또에 전 재산을 쏟아붓는 사람을 이해하지 못하고 답답해하는 사람들이 있다. 그들의 눈에는 그 사람이 현실 감각 없고 절제력이 부족하며 철없는 사람으로 보이겠지. 하지만 난 그들의 무모한 마음이 너무도 잘 이해된다. 미래에 대한 대책도 세우지 않은 채로 퇴사하고 너무도 위험한 길을 자진해서 가며, 극도로 낮은 확률을 쫓아가는 이유를 왠지 말하지 않아도 알 수 있다니깐? 직원에게 야근과 휴일 출근을 강요하는 사장과 팀장의 마음은 모르겠지만 무모한 사람의 마음은 알 수 있는 이유, 그들이 꿈꾸는 벼락부자를 나 역시 꿈꾸고 있기 때문이다.

알지 않은가. 이제 월급만으로 계층이동이 가능한 시대는 끝났다는 것을. 누군가 평생 일해야만 가질 수 있는 돈을 태어날 때부터 가진 사람이 있는 반면에 나를 포함한 대부분의 직장인들은 평생 일해야 하는 쪽에 속한다. 이런 운명을 가진 이상 착실하게 월급 모아서 성공하자고? 고진감래를 기억하자고? 온갖 상식이 통하지 않는 또라이 상사 아래서 욕먹으며 직장생활을 한 후 받는 것은 월급, 즉 돈이다. 그리고 늦잠 자고 늦게까지 놀다가 사두었던 부동산과 주식으로 부풀릴 수 있는 것 역시 돈이다. 돈에는 감정이 없다. 힘들게 번 100만 원과 쉽게 번 100만 원의 차이점이 없다는 뜻이다. 단지 그것을 벌기 위해 노력한 사람의 개인적인 기억만 있을 뿐.

또한 성실한 직장생활이 자신과 자녀의 계층 상승을 시켜 주기는 커녕 후세에도 여전히 그 계층을 유지해 주고 변화 없게 만들어 주는 면도 있다. 마치 부모님이 회사원이면 자식 역시 회사원이고 부모님이 사장이면 자식도 사장이 될 확률이 높은 것처럼 말이지. 자신은 직장인으로 살지만 자녀만큼은 사장님처럼 떵떵거리며 잘살기를 바란다? 너무 판타지스러운 이야기이다. 왜냐하면 직장인 부모를 보고 배운 자녀는 직장인의 삶을 벗어날 용기를 배우지 못했기에 똑같이 안정적이고 변화 없는 삶을 선호해서 그렇다.

이처럼 반복되는 직장인의 굴레에 벗어나기 위해서는 위험하지만 많은 용기를 필요로 하는 타파법을 행할 수밖에 없다. 주식, 코인, 로또 같은 것은 직장인의 굴레에 벗어나는 방법 중 하나고 그 낮은 확률을 뚫고 벼락부자가 된다면 우린 그 사람을 도박중독자라며 질타하기보다는 박수 쳐 주어야 한다. 왜냐면 보통 사람보다 몇백 배나 많은 용기를 낸 사람이니깐.

다만 로또 당첨자들의 씁쓸한 후기 사연과 주식으로 벼락부자가 되다가 도박으로 전 재산을 탕진한 사연, 그리고 스콧 피츠제럴드의 소설 위대한 게츠비를 보면 알 수 있듯이 벼락부자의 최후는 그리 좋지 않다. 가난한 게츠비가 재벌이 되어도 상류층 데이지가 그에게 돌아가지 않았던 이유, 심지어 남편 톰이 좋은 남자가 아니라는 것을 알고 있음에도 불구하고 돌아가지 않았던 이유, 그건 바로 게츠비가 가진 경제 자본은 언제 무너질 모래성처럼 너무 위태로워서 그런 거겠지. 그만큼 쉬운 방법으로 번 돈은 쉬운 방법으로 사라져 버리기 십상이다.

그러기에 내가 생각하는 가장 좋은 계층이동 방법, 자신은 물론 후대 계층까지 올려줄 수 있는 유일한 방법은 소위 말하는 자수성가하는 것뿐이라고 생각한다. 오해 말아라. 단순 사장님 소리 듣고 싶어서 어떠한 아이디어 없이 프랜차이즈점을 여는 것이 아닌 자신만의 고유한 브랜드와 아이덴티티를 확장 시키려는 사장님, 화가, 작가, 만화가, 발명가, 요리 연구가, 창조적인 유튜버가 되는 것이 자아실현과 동시에 반복되는 노동으로부터 해방될 수 있는 열쇠라는 것이다.

사실 많은 사람들은 자신의 재능을 알지 못한 채 용기가 안 나고 미래가 불안정하다는 이유로 개인 시간을 무참히 박살 내는 직장생활만 하다가 죽는 사람들이 많다. 하지만 복리의 마법처럼 시작은 미약하지만 끝은 창대해지는 것처럼 자신을 확실한 브랜드로 만든다면 직장생활과는 비교되지 않을 정도의 부와 명예, 무엇보다 만족한 삶을 살 수 있게 될 것이다.

　너무 꿈같은 이야기인가? 왠지 그 꿈은 내게는 해당되지 않을 것 같아서 두려운가? 사실 빈부격차는 부의 대물림도 있지만 눈에 보이지 않는 '용기의 대물림'이 더 크다. 상류층은 한번 실패해도 다시 시작할 수 있기에 여유와 용기를 가지며 나아갈 수 있지만 빈곤층은 한 번의 실패가 마지막이기에 용기가 사라지고 당장 눈앞의 이익만을 생각할 수밖에 없는 이유도 그것이다.

　가난한 사람이 노력을 안 해서 가난해진 것이 아니다. 장기적으로 보는 안목과 용기가 부족해서 좋은 기회가 왔음에도 불구하고 피하고 놓쳐서 그렇다. 마치 일당을 주는 회사보다 주급으로 주는 회사가 더 좋고, 주급으로 주는 회사보다 월급으로 주는 회사가 일도 편하고 복지도 좋으며, 월급으로 주는 회사보다 연봉으로 주는 회사가 더 큰 전문성을 요하는 것처럼 단기적으로 보는 시각은 질 나쁜 노동과 낮은 임금, 더불어 자아실현까지 할 수 없게 만드는 삶을 촉진시킨다. 그러기에 우리는 매달 계좌 이체되는 월급보다 개인의 성공을 위해서 장기적인 안목과 과감하게 도전할 수 있는 용기가 필요하다.

그대는 출근하시는 아버지의 등 뒤로
용기를 본 적 있는가?

PART 3
여직원.
남직원.
나쁜 직원.
이상한 직원

회사에 유난히 이상한 사람이 많은 이유

유독 직장 생활을 할 때 또라이들을 자주 만나는 이유는 무엇일까. 학교, 스터디 모임, 계 모임에서 보기 힘든 별종들을 왜 회사만 가면 만나냐고요.

"돈 버는 곳은 원래 그래. 일하기 위해 엄격한 모습을 보여줘서 그렇지, 밖에서는 착할걸?"이라면서 넘기라는 사람도 있지만 회사에서 일하는 모습이 오히려 진짜 모습이라고는 생각 안 해보셨나요? 작은 성격들이 모여 한 사람의 성격이 완성된 것처럼 회사에서 보여주는 모습 역시 그 사람의 진짜 성격 중 하나다. 이웃에게 친절한 사람인데 집에서는 가정폭력범이면 그는 나쁜 사람이고 아무리 훌륭한 위인일지라도 누군가를 살해하면 그 사람은 영원히 살인범인 것처럼 말이지.

그러면 우리 한 번 떠올려 볼까? 삶의 질을 떨어트리는 또라이 직원들 말이다. 공휴일에 연락해 놓고서 자기 좋아하는 등산 가자며

사생활까지 컨트롤하려는 직원, 밖이니깐 편하게 놀자고 할 때는 언제고 수틀리면 직급 따지고 나이 따지는 직원, 커리어 우먼병과 공주병이 동시에 걸려 온갖 사고를 다 치고 다니는 직원, 일은 안 하고 남의 사생활만 관찰하고 파벌 만들기 바쁜 직원들까지 하나같이 가까이하고 싶지 않은 사람들뿐이다.

사실 회사 밖에서 만났다면 이런 사람들과의 연을 쉽게 끊을 수 있었을 텐데 회사라는 곳은 일 때문에 억지로 뭉치는 인간 집단, 즉 원치 않는 인연을 계속 유지해야 하는 집단이다 보니 또라이의 기미가 보이는 사람을 봐도 피할 수 없기에 또라이들이 많아 보이는 것이다. 그렇기에 입사할 때 연봉과 업무시간, 업무요건 및 업무 직종을 고려하는 것도 중요하지만 또라이들이 적응할 수 없는 분위기인지 꼭 확인하고 만약 또라이들이 살판 난 회사라면 일말의 고민도 없이 퇴사하자.

그렇다면 또라이들이 많은 회사에 잘 적응하는 사람은 누구일까. 바로 그 회사에 오래 버틴 사람, 바로 앞 전 선배가 만들어 놓은 문화에 잘 적응하는 사람들이겠지. 회사에서 가장 원하는 인재는 오래 버틴 직원이고 착하고 유능한 직원보다 이해 못 할 회사 분위기에 잘 적응하는 직원이 결국은 그 회사의 분위기를 만들 정도의 직급까지 올라가게 된다. 마치 일제 강점기 때 친일파가 더 잘 먹고 잘 살고 나치가 지배했던 과거 독일에서 살아남기 위해서는 인종차별

주의자가 될 수밖에 없는 것처럼 말이다.

흥미로운 점은 좋지 않은 직장 문화를 많이 가진 기업일수록, 예를 들면 임금 착취라던가 과도하게 야근이 많고 성희롱에 관대하며 정도가 심한 군대식 문화를 가지고 있는 회사에서 버틴 직원들 상당수가 정신적인 문제가 있는 나르시시스트라는 점이다. 그들은 나 아니면 회사가 전혀 돌아가지 않는다고 자의식과잉에 부풀어 있어서 신입사원들에게는 텃세를 부리고 회사의 부당함에 떠나는 이들을 깔보며 이 어렵고 힘든 자리를 버틸 수 있는 나뿐이라고 착각하면서 그 회사는 점점 나르시시스트의 독주 무대가 된다.

그뿐만 아니라 회사 대부분이 군대식 문화이기에 자기보다 아래에 있는 직원들에게 반말 찍찍하고 비인간적으로 대해도 상사라는 이유만으로 넘어가다 보니 나르시시스트들에게 더할 나위 없는 천국이자 군대와 더불어 가장 이상한 사람들이 많은 이유 역시 이상한 사람들이 머물기에 너무도 좋은 무대고 그들을 피할 수 없게 만드는 환경이기 때문이다.

어디서 봤는데. 공감 능력 없는 소시오패스와 나르시시스트들이 사회적으로 더욱 인정받는다는 사실 말이다. 소시오패스와 나르시시스트가 회사에 오래 버티고 그런 별종들이 편하게 있을 수 있는 곳, 그곳이 바로 회사다.

군중 속에 숨고
명령 속에 숨고

너무 치명적인 30대 후반 미혼 남직원

나에게 있어 회사원들은 다 상대하기 힘든 존재지만 그래도 특정 나이대와 특정 성별을 꼽아보자면 30대 후반 미혼남이라고 하고 싶다. 회사의 트러블 메이커이자 젊은 꼰대의 대표주자이며 같이 있으면 피곤한 사람이 그 나이대, 그 성별에 유독 많기 때문이다. 물론 진리의 케이스 바이 케이스라고 그 나이대, 그 성별의 직원에게 도움을 많이 받기도 하고 존경하는 분도 있지만 이상하게도 가는 회사마다 다른 사람에게 좋지 않은 평가를 받고 나의 세포가 위험한 사람이라고 경고 내리던 사람들 중에 그 케이스가 많다는 것이다.

그중 가장 기억에 남는 3명을 꼽아보자면 우선 첫 번째, 생산직에 일했을 당시 주임 직급으로 있었던 30대 후반 남자였는데 딱 봐도 순진해 보이는 20대 초반 여직원과 결혼하는 게 인생 목표였던 사람이었다. 그 사람은 20대 남자 직원에게는 괜한 경쟁심과 험담을, 20대 여직원에게는 속 보이는 추파를 던졌지만 그의 노력에도 불구하고 큰 성과가 없었으니... 그 이유는 아마도 외모 때문이 아니었을까.

두 번째로 기억나는 30대 후반 남직원은 나의 직속 상사였는데 그 역시 미혼에 삐쩍 마른 몸매와 삐뚤어진 얼굴을 가진 사람이었다. 그 사람도 첫 번째 남자처럼 20대 여직원과 잡담하고 노는 것이 주 업무였고 신입사원인 내게 인수인계를 엉망으로 하면서 텃세와 군기 잡기만 하다가 결국 난 도망치듯 회사를 나왔다. "우리 회사는 만만한 회사가 아니다! 일하다 보면 새벽을 넘기는 경우가 빈번하니 그런 각오를 가진 사람을 원한다!"라는 말을 맨정신으로 들을 자신이 없었거든. 그에게 있어 늦게까지 일한다는 건 하나의 자부심이었을까? 참고로 그 회사는 내가 퇴사하고 나서 2년 후 부도 상태가 되었다고 한다.

세 번째 남자는 ROTC 경력이 있다는 이유로 높게 평가받아 입사한 사람인데 엑셀은 물론 업무적인 센스가 부족함에도 고집은 강해서 많은 직원들을 퇴사하게 만든 사람이다. 그 사람의 업무 스타일은 막가파였는데 내 업무를 내 스타일 대로 할 테니 나머지 부분은 모조리 너가 해야 한다는 이상한 마인드를 가지고 있었다. 거기다가 잘난 척이 어찌나 심하던지 자신은 자기 혼자서 살기 과분하게 큰집에 살고 있다고 하질 않나, 내가 밥 사주면 만나보겠다는 뭔 이상한 말을 하지 않나. 들리는 말로는 수습 기간이 끝나고 퇴사 당했다고 하던데 아마도 그 남자 때문에 회사를 뛰쳐나간 여직원이나 포함해서 한두 명이 아니라서 그런가 보다.

물론 30대 후반의 남자 회사원이 모두 그런 것은 아니지만 이상하게도 내가 봐왔던 그들은 20대 여직원에게는 결혼 상대자로 대하면서 추파를, 20대 남직원에게는 군기와 꼰대질을 하며 오직 경제력이 중요하다며 자신이 쌓아둔 경제력을 자랑하고 있었다. 사실 그 경제력은 그 나이가 되면 다 얻게 될 수 있는 경제력인데 말이지.

거기다가 매너도 부족하고 고집도 세며 비아냥과 자신감이 심하다는 공통점 역시 있었고 인생 다 깨달았다는 듯이 자의식은 높은데 막상 주변에서 시시한 반응만 받아서인지 늘 화나 있고 억울해하는 모습을 보여주었다. 또한 늘 외롭다는 소리와 미혼이라서 자유롭다는 말을 동시에 하는 이중적인 모습을 보여줘서 갈피를 잡을 수 없었으니, 도대체 어느 장단에 맞춰야 해?

그래서 난 30대 후반에 결혼 못 한 남자가 내 직속 상사가 된다는 말을 들으면 걱정부터 하고 본다. 여직원이라면 꼰대질과 추파를 감당해야 하고 남직원이라면 꼰대질과 경쟁심리를 감당해야 하니깐. 차라리 이미 해탈해 버린 40, 50대 미혼남이나 사고 쳐서 일찍 결혼한 남자 직원이 훨씬 더 편할 정도다.

뭐 혹시 내 말 하나 가지고 흥분에 파르르 떠는 30대 후반 미혼 남자 직장인이 있진 않겠지? 어차피 인터넷에 가보면 30대 남자가 사랑받는 이유, 30대 남자가 인기 많은 이유, 20대 여자가 또래가 아닌 30대 남자를 사랑하는 이유, 30대 남자 직장인이 능력 있는 이유, 30대 남자가 결혼 시장에서 희귀한 이유라는 글과 동영상들이 수없이 나오니깐 그거 보시고 자존감 쌓으시길 바란다.

자신감과 만용은 한 끗 차이.

회사에서 로맨스 찾고 있는 여직원들

내가 만나본 가장 황당한 여직원은 로맨스 드라마를 너무도 사랑한 나머지 망상과 현실을 구분하지 못하는 여직원이었다.

나의 주도하에 자신은 불쌍하게 따돌림당했으나 그런 방해에도 불구하고 잘생긴 남직원과 기적적으로 사랑해서 위기를 극복했다는 샤랄라 판타지를 자기 혼자 머릿속에 그리고 있더라고. 갑자기 나보고 자신을 따돌려 줘서 고맙다는 이상한 말을 하는데 알고 보니 그런 사연과 그런 생각을 하고 있었던 것이다. 다들 그 애 버리고 놀자고 할 때 내가 유일하게 챙겨줬는데 이런 식으로 보답하다니 원.

다만 그녀의 생각과 다르게 그 남직원은 이년, 저년, 한대 쥐어패 버린다는 말을 습관적으로 할 정도로 질이 좋지 않은 사람이었으니... 뭐 본인이 좋다면 어쩔 수 없지.

그런데 재미있게도 이런 로맨스 매니아 여직원들이 생각보다 많았고 철없는 20대 초반 여직원부터 해서 40대까지 매우 고루 분포되어 있었다. 그녀들의 공통점이 있다면 일도 적당히 하고 주변 분위기에도 적당히 잘 합류하지만 일하러 온 건지 남자 사귀려고 온

건지 구분되지 않을 정도로 모든 것을 로맨스 위주로 본다는 점이
다. 물론 여자의 삶에 있어서 로맨스는 매우 중요한 요소지만 그것
을 회사에서까지 망상하고 확장하며 이야기를 만드는 게 여직원은
물론 남직원에게도 피해 줄 수 있다는 것을 모르는 건가?

남자만 여자에게 관심 많은 줄 알지? 여자도 남자에게 매우 관심
이 많다. 그것도 그냥이 아닌 엄청 많아서 남녀 사이에 흐르는 소문
에 그 누구보다 민감하다. 평소 무뚝뚝하던 남직원이 특정 여직원을
도와줬다는 이야기가 여초 회사에 퍼지기라도 한다면 그것은 하나
의 사건이자 로맨스가 되어 엄청난 속도로 확산되고 망상까지 붙으
면서 해당 직원들에게 이상한 꼬리표가 달리게 된다. 업무적인 부분
에 대한 이야기는 얼마 없는데 이상하게도 이성에 관한 이야기는
지나칠 정도로 민감한 사람들, 그게 바로 여직원이다.
　이런 일이 자주 발생하다 보니 남직원은 몸을 사리고 특히 여초
회사에 근무하는 남직원은 모두의 왕자님처럼 특정 여직원과 가까
이 지내지 않으려고 엄청난 노력을 한다. 모두를 지켜주고 모두에게
공평하며 모두를 도와주고 모두에게 친절 하려고 하는데 만약 특정
여직원에게만 유독 친절하다? 어느 여직원은 도와주고 어느 여직원
은 듬직해 보이니깐 신경 안 쓴다? 그 순간 남직원은 도와준 여직
원을 제외한 모든 여직원에게 공격받을지도 모른다. 왜냐면 여직원
은 남직원에게 믿음직한 직원으로서 인정받는 것보다 '도움을 주고

싶은 여자'로써 인정받는 것을 더 선호하니깐.

나이가 많든 적든 남녀 문제에 유독 여직원이 민감하게 반응하는 것은 누군가에게 기대려는 자세가 공통적으로 가지고 있기 때문이고 같은 여직원들끼리는 의존할 수 없으니 좀 더 능동적인 남직원에게 도움을 받았으면 하는 바람이 투영된 것이다.

물론 나의 편협한 시각과 편견 속에서 여직원을 멋대로 평가하는 거라 생각하지만 차라리 내가 오판했으면 좋을 정도로 실제 로맨스 매니아 여직원과 수동적인 여직원을 정말 많이 봐왔고 함께해 왔다.

성차별적인 발언일지 모르지만 보통 남자는 양, 여자는 음이라고 하지 않는가. 실제 들어온 지 3개월도 안 됐음에도 회사의 모든 방식을 바꾸겠다고 혈기 넘치는 신입사원 중에는 남직원이 많고 뭔가 탐탁지 않은 표정으로 혼자 꿍해 있다가 말없이 퇴사하는 직원 중에는 여직원이 많다. 다만 여자 남자 가리지 않고 상대방에게 기대려는 용기 없는 자세는 승진에 있어서 좋은 자세가 아니기에 차라리 여직원은 남직원의 적극적인 자세, 하다못해 지나치게 자신감 넘치는 모습을 배울 필요가 있다. 남직원에게 도움받는 다른 여직원을 질투하고 흘겨보는 정신 낭비 대신 본인이 직접 하라는 소리다.

그녀들은 지금 뭐 하고 있으려나. 예나 지금이나 자신이 찜해둔 남직원이 다른 여직원에게 친절할까 봐 불안해하려나? 부하 남직원이 자신의 코맹맹이 소리에 껌뻑 넘어가서 일을 대신 해준 거로 생각하나? 새로 들어온 여자 신입사원의 옷차림부터 이어폰, 핸드폰, 말투와 표정 그 모든 것을 분석하고 있나? 정말 가치 없는 인생이 아닐 수 없다.

현실에도 없는 로맨스를
왜 회사에서 찾아.

여직원은 인형 놀이를 어른이 되어서도 한다

남자가 여자를 더 사랑할까, 여자가 남자를 더 사랑할까? 어디 랜덤채팅 같은 곳을 보면 남자라면 차단, 여자라면 득달같이 달려드는 남자들을 보고 남자가 여자를 더 좋아할거라 생각하지만 그건 성욕일 뿐이고 소위 말하는 사랑, 작은 부분까지 신경 써주고 만남이 지속되길 원하는 사랑은 여자들이 더 많이 하고 더 많이 원한다.

이미 화장을 한 순간부터 여자는 남자에게 진 것이나 마찬가지다. 뭐 졌다는 표현이 이상하지만 사랑을 시작하고 유지 시키기 위해서 투자하는 비용과 시간이 남자보다 많고 남자친구와의 세세한 감정 교류를 커뮤니티에 올리며 고민하는 모습을 볼 때면 여자에게 있어서 남자는 정말 많은 부분을 차지하고 있다는 것을 매번 느끼니깐.

아무리 뜯어말려도 소용없다. 남자친구와의 감정교류를 좀 둔하게 생각하라 말해도 소용없다니깐? 이미 사랑 상태에 돌입한 여자의 뇌는 사랑을 유지 시키기 위해서 그 모든 신경이 곤두세워져 있고 심지어 여자의 감이라는 명목으로 사소한 행동에 큰 의미 부여를 하며 진실이 아닌 혼자만의 생각을 진짜라고 믿어버리는 사태까지 벌어진다. 그건 마치 남직원과 여직원 사이의 별 볼 일 없는 행동을 자기들끼리 증폭시키고 소문내는 여직원들처럼 진실보다는 자기들의 기분이 만들어 낸 생각을 진실로 여기는 모습처럼 무섭다. 그야말로 호러지.

"회사에서 로맨스를 찾고 있는 여직원들" 편에서 이야기한 것처럼 회사에서는 공과 사를 구분 못 하고 로맨스를 회사 안으로까지 끌고 오는 여직원이 있다고 나는 말했다. 물론 여자의 일생에 있어서 사랑은 매우 중요하지만 이런 여자들 덕분에 남직원과 여직원의 화합이 이루어질 수 없을 정도로 그 모든 것을 사랑의 연장선으로 본다는 게 문제다.

혹시 어린 시절에 인형 놀이를 해본 적 있는가? 딱 그 꼴이다. ○○과장이 자신에게 화내는 것은 애증 때문이고 ✕✕사원이 자신에게 친절한 것은 썸을 원해서이며, SS 여직원은 과장한테 꼬리치고 YY여직원은 ✕✕사원 꼬셔보려고 기 쓴다며 그들의 행동에 자기 마음대로 의미를 부여한다. 회사는 오직 성욕과 사랑으로만 돌아가고 오직 자기만이 그 사람들의 숨은 의도를 파악할 수 있는 통찰력을 가진 사람이라고 생각한다. 마치 인형 놀이에 이름을 붙여주고 성격을 붙여주는 것처럼 말이지.

그런데 문제는 망상하는 오타쿠처럼 속으로만 생각하면 문제없는데 이 로맨스 매니아들은 자신이 만들어 놓은 판타지가 매우 자랑스러운지 이곳저곳 퍼트린다는 게 문제다. 그 소문은 여자가 성적으로 보수적이라는 터부를 박살 내듯 자극적이고 여직원을 퇴사로까지 이끌게 할 정도로 매우 강렬한 소문인데, 특히 여자의 이미지에 위해를 가하는 치명적인 판타지들, 예를 들어 모텔, 임신, 낙태, 유부남과의 로맨스를 마음에 들지 않는 여직원을 향해서 투사하고 그것을 진실인 양 떠벌린다. 그 위력은 워낙 강력하여 퇴사를 넘어서 정신질환 및 트라우마까지 만들 수 있을 정도다.

그렇다면 이렇게 무서운 로맨스 매니아들이 다수 분포된 직장에서 적응하는 방법은 무엇이 있을까. 여직원 중에 로맨스 매니아는 상당히 많은데 매번 그 사람들을 피해서 퇴사할 수도 없고 말이지. 생각보다 많은 사람들이 로맨스 매니아의 인형 놀이에 악역을 맡게 되면서 이유 없는 공격과 비난, 더 나아가 업무적으로도 피해를 보는 경우가 많고 이는 남자든 여자든 뛰어난 업무 능력과 성실한 자세를 가지든 말든 구분 없기에 대처하기도 힘들다.

유일한 대처 방법이 있다면 처음부터 "착한 역"을 맡을 수 있도록 노력하는 것인데 첫 단추를 잘 달아야만 다음 단추를 잘 달 수 있는 것처럼 입사 때 이 인형 놀이를 좋아하는 여직원들에게 좋은 사람, 그대들에게 도움을 줄 수 있는 사람이라며 호감 있는 이미지를 주어야만 비난의 영역에서 벗어날 수 있다. 다만 이것 역시 그녀들의 판단에 달려 있고 착한 모습이 착한'척'하는 모습으로 보일 수 있으니 운에 맡기는 수밖에.

　참 피곤하지 않은가? 사장에게 잘 보이는 것도 피곤해 죽겠는데 로맨스 매니아에게도 잘 보여야 한다니. 분명 회사는 일만 하는 곳인데 호감이니 비호감이니 그런 영역까지 왜 생각하고 고민해야 하냐고요.

　인정하기 싫지만 이 에세이에서 내가 계속 말한 것처럼 회사에서 필요한 사람은 일을 잘하는 사람이 아닌 부조리한 회사와도 잘 융화되는 사람, 강한 자에게 약하고 약한 자에게 강한 사람, 회사에 대한 충성심을 위해 일을 비효율적으로 오래 하는 사람이다. 소위 인류사에 영향을 끼칠 만큼 뛰어난 능력의 사람은 오히려 회사를 기피하고 회사 역시 그런 사람을 좋아하지 않는다. 직장이 물이라면 나 역시 물이어야 문제없이 돌아갈 수 있는데 내가 기름이라면? 매번 힘들게 섞어줘야 하고 분리되면 또 섞어줘야 하므로 본인도 힘들고 회사도 힘들다.

　이 사회는 대학생 때부터 그보다 더 어린 청소년들에게까지 대기업에 스카웃 될 정도로 뛰어난 직장인이 되는 것을 최우선 목표로 삼으라고 하지만 가장 중요한 것은 본인이 회사 생활에 타고나게 안 맞는 기름인지, 물인지, 얼음인지 수은인지부터 아는 것이다. 나를 알고 적을 알아야 백번 싸워도 백번 이긴다는 말이 있는 것처럼 어떤 기업에서든 탐내는 인재가 되기 위한 노력보다 가장 중요한 것은 바로 추상적이고 헛짓거리로 보이며, 철학적이고 스펙에 어떠한 도움이 되지 않은 자아 성찰이 최우선이다.

미운 놈 여초 회사 추천해 준다.

고개 숙인 남성성을 회사에서 찾는 중년 남자들

　여직원이 회사에 입사했을 때 정말 조심해야 할 사람이 있다면 자기 업무까지 몰아서 주는 간악한 상사라던가, 옷차림부터 행동 하나하나 모든 걸 지적하는 할 일 없는 사수, 이상한 계약서를 내미는 악덕 사장보다 남직원, 특히 중년 남자 직원을 정말 조심해야 한다.

　첫인상은 이 세상에 멸종되어 버린 '존경스러운 상사'처럼 잘 대해주고 다들 생색내며 가르쳐주던 업무도 친절히 알려 주며 심지어 집 앞까지 차로 카풀해주는 엄청난 배려심을 보여주지만, 고위직 공무원의 비서 성추행 사건, 군대 내 여군에 향한 성희롱, 성폭행 사건, 심지어 공론화되지도 못한 직장 내 성희롱의 피해자가 되고 싶지 않다면 최대한 그들과 엮이지 마라. 그들은 당신을 같이 일하는 직장동료로 보기보다는 일하는 '여자', 엑셀 잘하는 '여자', 어린 '여자', 귀여운 '여자', 뭘 해도 여자로만 보니깐.

　그전에 우선 신입 여직원에게 치근덕거리는 중년 남자 직원의 심리부터 알아보자. 중년이라는 나이는 무엇이며 도대체 어떤 감정이 들까? 떠나버린 청년 시절의 열정과 다가올 노년 시절의 불안감이 뒤섞인 나이라 사춘기보다 더욱 감정적으로 풍부해지는 시기다. 보통 직장인이나 주부 같은 경우는 반복되는 일상에 지루함과 회의감을 느끼기 쉬운데 이것을 취미 및 건전한 동호회 활동으로 풀어 주지 않으면 중년 우울증이 찾아오기 쉬울 정도로 중년이라는 나이는 정신적으로 예민한 시기다.

그런데 이 멜랑꼴리한 감정을 막연히 자극적인 요소로 풀려는 중년들이 있고 그들은 도박, 성매매, 선을 제대로 넘어버리는 연애로 자신감과 활력을 되찾으려고 한다. 유독 지하철이나 버스에서 젊은 여자들에게 치근덕거리는 아저씨들이 많은 이유 역시 청년 시절의 만용을 놓치지 않기 위해 더욱 과감해져서 그렇다.

회사에서도 역시 그런 스릴을 즐기려는 중년 남자들이 꽤 있고 특히 타겟은 가장 직급이 낮고 스스로를 보호하기 힘든 여직원에게 향하는 경우가 많다. 허나 그 사실을 모르는 몇몇 사회 경험 적은 여성들은 중년 남자 직원의 친절이 순수한 마음에서 비롯된 것이라 생각하지만, 한 번 더 말하겠다. 그들과 최대한 사적으로 엮여서는 안 되고 거리를 두지 않으면 성희롱과 성추행의 대상이 되기 쉽다.

나 역시 입사하자마자 내게 친절하게 대해주었던 중년 남자 상사가 있었는데 이분이 계속해서 선을 넘고 사적인 영역으로 침범하려고 했던 적이 한두 번이 아니었다. 난 난색을 보이며 거리를 두었는데 그 후부터 내게 보복식으로 업무를 알려 주지 않고 무조건 떠넘기며 유독 티가 날 정도로 까칠하게 나오고 다른 사람에게 보란 듯이 크게 혼내며 투덜거리는 모습에 진땀이 다 날 정도였다. 나 혼자 업무를 수월하게 할 수 있을 정도의 시기라면 모르겠는데 상사의 배움과 도움이 필요한 시기였기에 마땅히 방법이 없었고 결국 나는 내가 저지르지도 않는 죄에 대한 죄책감을 느끼고 싶지 않아서 퇴사했다.

이처럼 신입 여직원에게 중년 남자 상사의 친절과 배려의 끝은 항상 파국을 맞이하게 되고 중년 남자도 상처받지만 그 친절을 받은 여직원 역시 큰 상처를 받는다. 도대체 딸뻘 되는 어린 여자를 두고 무슨 마음을 두었단 말인가? 염치도 없지.

사랑에도 때와 장소와
도덕과 염치가 있다.

여직원의 통일성 감정 이론

여자들이 인간관계에서 가장 중요하게 여기는 요소는 바로 공유와 공감이다. 그래서 동성 친구를 대할 때도 같이 하교하고 같이 화장실도 가며 비밀일기를 쓰고 우정 반지를 끼면서 모든 감정을 공유하는 이유는 그 때문이다. (거의 애인 사이만큼 끈끈하더라) 또한 자신과 같은 여자를 괴롭힐 때 힘으로 찍어 누르는 남자들과 달리 무시하고 소외시키며 공감과 공유를 원천 차단하는 방법을 택한 이유 역시 여자들에게 있어서 가장 두려운 것은 감정 공유를 못 하게 하는 상태라는 걸 알고 있기 때문이다. 이렇게 여자들에게 있어서 공유와 공감은 매우 중요하고 또 본인들 역시 그런 능력이 뛰어나다고 생각하지만 문제는 감정 공유를 해서는 안 되는 상대, 해서는 안 되는 때, 해서는 안 되는 장소에서도 한다는 게 문제다.

특히 공과 사의 경계를 뚜렷하게 나누어야 하는 회사에서 몇몇 여자들은 자신의 감정을 자꾸 공유하려고 한다. 여종업원이 바빠 죽겠다며 고객에게 짜증 내는 일, 왜 하필 지금 전화하냐고 소리 지르던 거래처 여직원, 마땅한 이유도 없는데 일이 힘들다는 이유로 티

나게 불친절했던 여자 간호사를 우리는 한 번 이상 만나봤을 것이다. 그들을 만날 때면 내가 그들의 기분을 맞춰주는 직원인지 하녀인지 구분이 되지 않을 정도로 불쾌한 느낌과 함께 근본적인 질문에 빠졌으니, 그녀들은 도대체 왜 처음 보는 사람에게 본인의 감정을 전달하려는 걸까?

물론 여직원들의 그러한 특성이 완전히 나쁘다고는 할 수는 없다. 슬픈 일이 생겨서 침울해하고 있는데 상사가 다가와 위로해 주면 얼마나 감격스럽겠는가. 내가 힘들다고 할 때 누구보다 공감해 주면 얼마나 고마우며 충성심이 생기겠는가. 특히 서비스업계에서는 고객의 기분을 빠르게 파악하고 대처하는 능력에 있어서 가장 좋은 성격이 바로 공감 능력이 뛰어난 사람이다. 그리고 그러한 능력은 어떻게 노력으로 만들어질 수 없는 어려운 부분이다.

다만 공감 능력을 크게 필요로 하지 않은 일반적인 회사에서 공감 능력을 중심으로 회사가 돌아가면 소위 말하는 눈치만 빠른 사람과 정치질 잘하는 사람만 자리를 잡으면서 회사의 비전은 뒤처지게 된다. 특히 그러한 현상은 여자들이 많이 모인 여초 회사에서 자주 보이는데 여초 회사에 입사했던 한 남성이 쓴 기사에서도 여초 회사에서는 능력이 있냐, 조직에 필요하냐는 관점보다는 우선 호감형이냐로 호불호가 표출된다고[1] 할 정도로 업무 능력보다는 내게 좋은 사람이냐, 나쁜 사람이냐가 더 중요하다. 그런 회사에서 잘 적응하는 사람은 업무에 집중하기보다는 어느 사람이 자신의 기분을 불쾌하게 했고 어느 사람이 내게 잘 대해주었는지에 관심이 많은 '공감 만능주의적'인 사람이겠지.

나는 눈물 흘리며 회사를 뛰쳐나가는 여직원을 봐왔고 사장에게 소리 지르며 회사를 뛰쳐나가는 남직원도 봐왔다. 하지만 어느 회사든 감정을 쉽게 표출하는 직원은 프로페셔널함과 믿음직한 느낌이 부족하고 공과 사를 쉽게 구분 못 한다는 부정적인 평가를 받기 쉽다. 그래서 예술가적 기질을 가진 사람이 직장생활에 안 맞는 이유가 자신의 감성을 우선시하고 이를 표출해야 하는 예술가의 미덕에는 부합하고 개인감정 표출을 자제하며 업무를 최우선시해야 하는 회사원의 미덕과 정반대라서 그렇다.

그래서 우린 자신의 감정이 너무도 소중하고 주변 사람들은 반드시 내 감정을 수용해야 한다고 자만심을 가진 여직원을 보게 된다면 예술가적 기질이 있지만 회사에 다녀야 하는 불쌍한 사람으로만 봐주자. 그런데 그런 여직원이 같은 회사에서 3명 이상 있네? 뭐 하고 있는가. 어서 퇴사 준비해라.

참고 자료

1) 유준호, 강영운, 강민호 기자, 「`男들처럼` `女보란듯` 적응했죠…남초·여초회사 생존기」, 『매일경제』, 2021년 4월 1일, "https://www.mk.co.kr/news/business/9811730"

공감하지 못하는 저의 마음에
공감해 주세요.

회사가 남직원을 더 선호하는 이유

여직원을 못마땅해하는 사람들이 생각보다 많더라고. 아직 해야 할 업무가 산더미인데 퇴근 시간 됐다고 칼같이 퇴근하고 자기 업무가 아니면 그와 연관된 업무는 거들떠보지도 않으며 회사일 보다 자기 가정이 더 중요하다며 회식이며 단합대회며 쏙 빠진다는 이유로 말이다. 솔직히 나무가 아닌 숲을 봐야 하는 사장 입장에선 여직원이 답답하고 이기적으로 보일 것이고 그래서 인터넷에 자칭 사장이라는 분들이 자신이 여자라고 해도 직원을 뽑지 않겠다고 구구절절한 사연을 늘어놓는다. 그러면 또 남자들은 그것을 남초 커뮤니티로 끌고 와서 '여직원 무용론'의 근거로 사용하고 있으니... 정말 여자는 채용하기에 매력적인 요소가 없는 사람일까?

물론 채용은 회사 대표의 자유라 여자를 뽑든 남자를 뽑든 상관없지만 시대와 상관없이, 회사의 크고 작음과 상관없이 하나같이 여직원을 선호하지 않는다는 점을 우리는 한 번쯤 곰곰이 생각해 봐야 한다.

1999년 주요 30대 기업의 여직원 비율은 15%였는데 20년이나

지났음에도 불구하고 겨우 5% 상승한 20%라는 사실(1과 서류 면접 때 일부러 남성 구직자의 점수를 올려 여성 구직자를 떨어트린 사건(2처럼 여직원을 대놓고 무시하는 일이 한두 번이 아닌 것은 분명 이유가 있지 않을까? 단순 성차별 때문에, 사회가 여성 구직자를 죽이려 하니깐, 세상이 여자들을 통제하기 위해 내버려 두지 않으려고 한다며 만물여혐설을 주장해봤자 근본적인 문제의 원인도 찾을 수 없을뿐더러 해결책이 될 수 없다. 여자 외에 모두 나쁜 존재라며 적으로 돌려서는 안 된다는 말이다.

자 그러면 우리 한번 생각해 보자. 왜 회사는 남자를 더 선호할까. 물리적인 힘이 강해서? 하지만 위의 예시로 들었던 회사, 여성 구직자의 점수를 낮춰서 남성 구직자를 뽑으려고 했던 저 회사의 업종은 물리적인 힘을 필요하지 않은 업종임에도 불구하고 그런 일이 발생했다. 또한 물리적인 힘을 필요로 하는 생산직에서는 오히려 여공이 많고 또 많이 뽑으려고 한다는 점을 생각한다면 뭔가 맞지 않다.

그렇다면 남자가 업무적으로 더 뛰어나서? 그건 마치 남자가 더 지능이 높다는 남성 우월주의자들의 말처럼 근거 없는 이야기이다. 만약 남자가 여자보다 업무적으로 뛰어났다면 왜 업무 능력과 그 가능성을 평가하는 면접에서 남성 구직자의 점수를 인위적으로 올린 걸까. 또한 남성 구직자의 점수를 조작했던 것처럼 실제 여직원의 업무 능력이 더 뛰어나도 남직원의 승진을 위하여 일부러 여직원이 무능하다며 합리화했을 가능성 역시 배제할 수 없다.

그리고 이론을 넘어 실제로도 우리는 답답하게 일하는 남직원, 남자 상사님을 다들 한 번 이상 만나본 적 있지 않은가. 일은 안 하는데 아부하기 바쁘고 설렁설렁이라는 단어를 좋아하면서 사고란 사고는 다 일으키는 사람, 꼭 이런 사람들이 사장님병에 걸려서 고집은 드럽게 세요. 이처럼 일은 못 해도 오래 다니면 공로가 인정되고 철밥통이 넘쳐나는 회사에서 일을 잘하고 못하느냐는 사실 그렇게 중요하지 않다.

그렇다면 중소기업 대기업 가리지 않고 남자 직원을 더 선호하는 이유는 무엇일까? 이유는 간단하다. 그건 바로 회사 사장들이 원하는 직장인의 자세를 남직원만이 가지고 있고 그 자세는 바로 군대문화를 통해서 가질 수 있는 복종 정신 또는 노예근성이다.

확실히 대한민국의 회사들은 남직원을 뽑고 싶어 하고 내가 사장이라도 그랬을 것이다. 모든 일을 알아서 척척하고 업무와 전혀 연관이 없는 일에 투입 시켜도 불만을 크게 표하지 않으며 야근하자는 사장의 말에 아이가 아파서, 약속이 있어서, 몸이 안 좋아서 못하겠다는 말을 속으로만 삭일 뿐 실제로는 내 말에 잘 따라주니깐.

다만 그들의 불만 없는 자세가 직장인의 권리 발전과 본인에게 도움이 되는지는 잘 모르겠다. 실제 직장인의 인권을 올려주었던 사람들은 불만 많고 이기적이며 인간다운 삶과 직장인의 삶이 공존하기를 바라는 너무도 공상적인 사람이니깐. 주 110시간 근무를 당연하게 생각하고 토요일에도 근무해야 회사가 돌아간다고 생각하는 사람은 회사에서는 인정받았을지언정 직장인의 권리 발전에 이바지는커녕 오히려 회사 편에 말없이 동조하면서 방해했을 뿐이다.

이처럼 남직원은 회사가 남자를 더 선호한다는 자신감에 취해있지 말고 현재의 본인을 위해서, 미래 세대들을 위해서도 실속있게 나가는 자세를 고려해야 한다. 어느 여직원이 일을 끝마치지 못한 채 퇴근했고 상사는 여직원과 분쟁하기 싫어서 당신에게 그 일 끝마치라고 한다면 자기 일이 아니라고 말할 필요가 있다.

다만 상사는 부하 직원이 그렇게 나온다면 화내겠지. 까라면 까라는 군대식 문화를 누구보다 잘 따르는 남직원의 모습을 원했으니깐. 하지만 여초 회사에서 흔히 보이는 '칼같이 나누어진 업무 분담'을 남직원도 할 필요가 있고 특히 남자가 많은 회사일수록 일과 생활, 군대와 회사의 경계가 흐릿하다 보니 그런 변화가 더욱 필요하다.

남자가 여자보다 더 많은 책임감을 가져야 한다는 편견은 전 세계적인 현상이지만 (레이디 퍼스트, 기사도 정신) 그것을 회사에서까지 끌고 오며 과도한 책임감과 업무시간을 요구하는 국가는 정말 손에 꼽을 정도로 없다. 허나 한국 남자들은 그런 문화에 어린 시절은 물론 성인이 되어서도 길들어지고 노출되다 보니 살인적인 책임감을 요구하는 회사에도 버티고 그 문화를 유지 시키고 있다.

　지금도 사장들은 군대식 문화가 회사에서까지 적용되길 바라고 말이 직원이지 상사의 말에 무조건 복종하는 부하만큼 막 대하는 분위기를 좋아한다. 그래서 꼰대 남직원의 자주 하는 멘트가 "여기가 학교인 줄 알아!" 아니겠는가. 군대에 비해서 개인의 자유와 시간이 조금 널널한 학교 문화를 조금도 용납할 수 없어서겠지.

참고 자료

1) 이한듬 기자, 「말로만 '여풍당당'… 대기업 직원 여성 비율 20% 그쳐」, 『머니S』, 2021년 3월 8일, "https://www.moneys.co.kr/news/mwView.php?no=2021030814088089005"

2) 이하나 기자, 「'성차별 채용' 신한카드, 여성 92명 고의로 탈락시켜… 1심서 고작 벌금 500만원」, 『여성신문』, 2023년 8월 11일, "https://www.womennews.co.kr/news/articleView.html?idxno=239236"

두 팔 벌려 환영하는 곳에서는
다 이유가 있다.

죽는소리하는 직원은 절대 퇴사하지 않는다

사람 중에 유독 조금만 힘들어도 엄청 힘들다는 식으로 티 내는 사람이 있다. 뾰루퉁한 표정을 지으며 이래서 힘들다, 저래서 힘들다, 나만 고생하고 있다는 이유로 감성을 배설하면서 옆 사람까지 피곤하게 만든다는 특징 역시 있고 말이지. 이 사람은 이전 "여직원의 통일성 감정 이론" 편에서 말했던 공유와 공감에 특출난 사람이고 대표적인 특징으로는 자신의 감정이 모든 것의 중심이고 상대가 공감하고 반응해야 하는 게 당연하다고 생각하는 사람이다.

보통 이 사람과 대화하면 기 빨리고 피하고 싶다는 느낌이 들기에 만남을 피하려고 하지만 어디서 회피형, 불안형이라는 단어를 주워들어서는 공유와 공감을 거부하면 문제가 많은 사람이라고 낙인찍는다. 그리고 자신이 세상에서 제일 힘들다는 감정을 공유하려고 때 쓰지만, 꼭 알아야 하는 사실이 있다면 그 사람이 필요로 하는 것은 당신 자체가 아닌 자신의 감정에 반응해 주는 사람이라는 걸 우리는 반드시 기억해야 한다. 10초마다 바뀌는 감정 소감문을 진지하게 들어주는 감정 쓰레기통 같은 존재 말이지.

다만 문제는 위와 같은 엄살 주의자를 회사에서 만난다는 건데, 공과 사의 구분 없이 "그만두고 싶어, 때려치우고 싶어, 상사가 날 귀찮게 해, 나만 괴롭힘 받는다"라는 말로 감정을 공유할 테고 밖에서 만났다면 그냥 연락 차단하고 안 마주치면 되지만 회사라는 곳은 억지 인연을 이어 나가야 하는 곳이기 때문에 그들의 변덕을 감내해야 한다.

이렇게 죽네 사네 하며 세상이 나만 괴롭힌다고 말하는 엄살주의자 직원은 금방이라도 퇴사할 것처럼 눈에 불을 켜지만 재미있게도 막상 퇴사를 빨리 한 직원은 퇴사쇼를 벌이는 엄살 주의자가 아닌 있는지도 없는지도 모르게 묵묵히 일하는 조용한 완벽주의자라는 점이다.

특히 내가 묵묵히 일하는 완벽주의자 직원이었기에 그들의 심리 상태, 그리고 엄살 주의자들이 어떻게 다가오는지 누구보다 잘 알 수 있다. 나는 한때 회사에서 완벽한 모습만 보여주어야 한다는 압박감이 있었고 이미 제출한 결과물에도 실수가 있을까봐 불안한 마음에 두 번, 세 번 확인하던 겁많은 직원이었다. 반면 동기는 소위 말해서 징징거리는 사람이었고 간단한 업무 처리 하나 가지고도 힘들다 노래 부르는 사람이었다. 실수? 아주 밥 먹듯이 했다. 업무 효율성? 업무 기술이 부족하고 열정도 부족해서 오히려 더 복잡하게 만들었다. 그렇기에 내게 좀 더 좋은 보상이 찾아올 거라 기대하고 버텼지만 돌아오는 것은 엄살 주의자 직원의 질투, 시기, 말도 안 되는 업무 부탁과 함께 상사는 내가 더 일을 잘한다는 이유로 더 많은 업무를 맞기는 사태가 벌어졌다.

결국 '일을 더 맡겨도 불만 없이 잘할 애'라는 이미지가 회사 사람들 머릿속에 깊숙이 박히면서 사태만 더 악화될 뿐이라는 사실을 알고 결국 퇴사하기로 결정, 그 엄살 주의자는 내가 퇴사하던 날까지도 자신의 힘든 처지를 하소연했다.

아이러니하지? 일이 힘들다며 티 내는 사람은 본인들의 말과 다르게 회사에서 오래, 아주 오래도록 다니지만 조용한 완벽주의자들은 갑자기 예고도 없이 퇴사한다. 엄살 주의자들은 스트레스를 받는 즉시 분출하기 때문에 스트레스가 적고 신뢰를 쌓이지 못하게 만들어 업무량이 늘어나지 않는 것에 반해서 조용한 완벽주의자들은 퇴근 후에도 일 걱정, 거기다가 상사들은 그들을 신뢰하다 보니 일이 몰리게 되는 문제 때문에 버티지 못해서 그렇다. 원래 강한 바람이 불 면 꺾이는 것은 단단한 나무지 줏대 없이 이리저리 흔들리는 갈대가 아니다.

그러면 이 불쌍한 완벽주의자는 도대체 어떻게 살아야 할까. 어떤 회사에 가든 고생길이 확정된 이 완벽주의자들은 어떻게 회사 생활을 버텨야 할까. 어쩌긴 뭐 어째. 프롤로그에서 말한 것처럼 이 에세이는 직장생활을 잘하고 있는 사람에게는 그다지 이롭지 않은 에세이고 특히 조용한 완벽주의자들은 퇴사가 필요할 만큼 회사에서 썩히기 아까운 인재다. 회사 업무가 100이면 조용한 완벽주의자들이 70을 도맡아서 할 정도로 능력 있는 그들은 1인 기업, 프리랜서가 되어 능력을 살리는 게 오히려 좋은 판국이다.

물론 힘들겠지. 프리랜서는 저 땅속 깊숙한 곳에서부터 발판을 만들어야 하지만 회사는 이미 발판이 만들어져 있어서 들어오기만 되니깐. 하지만 고생 끝에 낙이 온다고 회사에서는 본인의 업무를 공정하게 평가받지 못하기에 수입이 한정되어 있지만 1인 기업과 프리랜서는 본인의 노력을 그나마 응당하게 받을 수 있다. 즉 회사 밖이야말로 조용한 완벽주의자가 엄살 주의자보다는 더욱 능력을 발휘하고 보상받을 수 있는 무대란 말이다.

그럼에도 불구하고 퇴사가 두렵다면, 나는 특출난 재능이 없어서 그런 프리랜서니 1인 기업이니 만들 수 없다면 완벽주의의 성격을 조금 무던하게 만들 필요가 있다. 물론 회사는 직원에게 완벽주의를 요구하는 것을 넘어서 아예 컴퓨터가 되기를 원하겠지만 한번 사람을 고용하면 웬만하면 자르지 않기 때문에 조금은 마음 편하게 행동하시기를 바란다. 엄살 주의자도 잘 다니는 회사인데 완벽주의자가 못 다닐 이유도 없지 않겠지? 더불어 가장 중요한 것은 조용한 완벽주의자들은 인간관계마저 완벽해지려고 엄살 주의자들을 이해해주고 도와주려고 하지만 그들에게 최대한 떨어지는 게 본인의 미래를 위해서도 건강을 위해서도 좋다.

이 땅에 살고 있는 소심한 완벽주의자들이여. 작은 실수에도 세상이 무너질 것처럼 불안해하는 그대들이여. 세상은 그대에게 많은 책임을 요구하지 않으니 마음 놓아라. 그저 매일매일 잘 다니고 있는 것만으로도 당신은 대단한 사람이고 당신보다 형편없는 사람 역시 회사에서 인정받으면서 잘만 다니고 있으니깐 당당해지자. 당신은 충분히 잘하고 있다니깐?

빈 수레가 힘들다 힘들다 노래 부른다.

PART 4
휴직과 이직밖에
없는 그대에게
영원한 퇴사를
기원하며

왜 뒷맛이 좋은 면접은 없을까

물론 내가 숙이고 들어가야 하는 입장인 건 아는데 면접관의 뻔뻔함과 갑질은 언제나 상상 이상이라 아무리 마음의 준비를 해도 소용없다. 분명 면접이라는 건 노동력이 필요한 사람과 노동력을 제공해 주는 사람들끼리의 협상이잖아. 그런데 왜, 어째서, 도대체 그런 중요한 자리를 자신의 사리사욕으로 이용하냐는 말이다.

아마 다른 사람들도 분명 면접관이 자신을 가지고 논다는 느낌을 면접으로 경험했을 것이고 회사 자랑형, 구라 구인 공고형, 떠보기형처럼 다시는 마주치고 싶지 않은 면접 유형들도 겪어봤을 것이다. 왜냐하면 그들은 면접 요구권을 수시로 남발하여 취업 준비생들의 사기를 떨어트리니깐.

특히 사회 초년생 시절 나는 '회사 자랑형 면접'에 제대로 대처하지 못해 시간 낭비를 한 일이 한두 번이 아니다. 집에서 10분 거리인 회사에서 사무직을 구한다고 하길래 면접을 봤는데 회사의 역사,

사장이 이룬 업적, 사장이 성공한 프로젝트들을 무려 1시간이나 듣고 있었다. 허나 길었던 회사 자랑과 달리 면접은 금방 끝났는데 장난하는 것도 아니고 월급을 최저임금, 아니 수습 기간이라는 명목으로 최저임금보다 더 낮은 연봉을 요구했다. 물론 내가 전통시장 이벤트 어쩌고 저쩌고 경력은 없지만 그래도 다른 사무직 경력이 있는데 최저임금보다 더 낮은 연봉을 뻔뻔하게 요구하는 걸까?

결국 최저임금만이라도 받고 싶다고 하니 사장은 인상을 팍 쓰고서는 자기 일 있다며 결과는 문자로 통보하겠다고 했지만 회사 자랑 1시간 끝에 5분 면접이라는 역대급 사건을 겪어서인지 나는 이미 그 회사에 정이 떨어졌고 번호를 차단했다. 하긴 그 사장도 날 합격해 줄 마음이 없어 보였으니 서로 좋은 거 아닐까?

구라 구인 공고형 역시 회사 자랑형 면접처럼 구직자에게 민폐를 끼치는 면접이다. 한여름 날 땀을 뻘뻘 흘리며 찾아간 회사에서 면접을 봤는데 분명 채용공고 사이트에서는 온.오프라인 수발주 사무원을 구한다고 했으면서 막상 가보니 수발주는 커녕 고객 대응과 마케팅 홍보가 주된 업무인 직원을 구하는 면접이었다. 거기다가 연봉까지 장난쳐서는 마케팅 일이니깐 건당 인센티브를 받으면 그 정도 된다고 하니... 마케팅 직원을 구한다고 하면 구직자가 하도 지원하지 않아서 그런 꼼수를 쓴 게 뻔하다.

마지막으로 떠보기 형은 어느 정도 경력이 쌓인 구직자들이 많이 겪는 유형인데 뭔 말 같지도 않은 트집을 잡으면서 계속해서 낮은 연봉을 요구하는 면접 유형이다. 면접이 아니라 연봉 낮추기 대결하는 것도 아니고 계속 4달러를 외치는 야인시대 김두환처럼 때 쓰는 모습에 내가 왜 이곳에서 이 사람들과 이야기하며 시간 낭비를 해야 하는지 회의감이 들었다. 초등학생도 할 수 있는 일이라면서 구직자를 구하는 이유는 무엇이며, 일당백의 직원을 원한다면서 평범한 경력만 있는 내게 면접을 보자고 했던 이유는 무엇일까. 아직도 모르겠다.

그렇다면 지금은 달라졌을까? 지금도 자신의 열등감을 풀기 위해서, 어떻게 해서든 기피 직종에 인력을 투입 시키기 위해서, 경력자를 싸게 써먹기 위해서 구직자들의 시간과 비용 따윈 아무것도 아니라고 생각하는 지뢰 같은 면접 말이다. 똑같지 뭐. 여전히 그 회사에서는 그런 방법으로 구인 글을 계속 올리고 있고 내가 남긴 분노의 면접 후기 글에 '공감'이 여러 개 찍힌 걸 보니 속은 사람이 생각보다 많다는 것을 알게 되었다.

이러한 면접이 사라지게 만드는 가장 쉬운 방법은 면접자들의 권위가 사회적으로 높아지는 방법뿐인데 현재까지도 잘못된 면접에 복수하는 방법이 고작 면접 후기 사이트에 글을 적는 것 외에는 없는 것으로 보아 아직도 멀어 보인다. 그야말로 카스트제도의 수드라 계급만도 못하고 있으니, 이럴 바에 차라리 취업준비생이라고 하지 말고 취업 노예, 취업 수드라라고 명칭을 바꾸는 건 어떨까.

110

내가 보려던 것은 면접이지
인내심 대회 하려고 온 게 아닌데.

회사는 좋은 터가 아니다

이 에세이 말고도 호텔 관련 에세이를 쓰면서 곰곰이 생각해 본 주제가 있는데 5성급 호텔에서 쌩쌩하던 나는 왜 회사만 가면 골골 대고 아플까, 라는 의문이다. 두말할 것도 없이 일이 싫어서라는 것을 알지만 혹시 회사에서 좋지 않은 기운이 흘러서 그런 것도 있지 않을까? 왜냐하면 나 말고도 다른 사람들 역시 회사만 가면 몸이 쑤시고 가슴이 답답하며 어떻게 해서든 빨리 벗어나고 싶어 하니깐.

물론 개소리라고 반박하는 사람도 있을 거고 나 역시 내가 개소리하고 있다는 거 잘 알고 있다. 지금이 무슨 시대인가. 21세기 아니던가. 비행기가 날아다니고 말하는 로봇이 나오는 시대인데 뭔 미신 같은 소리를 하냐고 할 수 있겠지. 물론 유사 과학일지도 모르지만 유독 예민한 사람들이 회사에 적응하지 못하는 이유, 회사가 모여 있는 공단을 걷다 보면 오싹한 기분이 드는 이유는 무엇일까.

유사 과학 하니깐 생각나는 건데 사실 우리는 유사 과학을 진실

112

로 믿었던 시절이 있었다. 흔히 초등학교 교실에 하나씩 키우던 양파, 칭찬하면 건강하게 자라고 비난하면 건강하지 못하게 자란다는 양파를 키운 경험이 있지 않은가. 그와 동시에 좋은 말을 하면 물의 결정이 가지런해지고 나쁜 말을 하면 물의 결정이 찌그러진다는 어떤 일본인이 쓴 책이 초등학교 필수 도서로 지정될 정도로 우리는 어린 시절부터 말의 중요성, 말의 파급력과 주변에 끼치는 영향력에 대한 유사 과학을 많이 접했다.

물론 욕먹으면 더 오래 산다는 말처럼 비난만 들은 양파가 더 쑥쑥 자라고 물이 사람의 말에 영향을 받는다는 책은 엉터리 유사 과학책이라는 게 밝혀졌지만 나쁜 말이 사람에게 영향을 끼친다는 건 변함없었고 그러기에 나름 좋은 배움의 시간이라고 난 생각한다. 부부싸움을 자주 목격하던 아이는 다른 아이에 비해서 자존감이 낮고 선생에게 자주 비난을 듣는 아이는 늘 눈을 아래로 까는 것처럼 말이 주는 파급력은 어린아이의 세계든 어른의 세계든 매우 강력하니깐.

그런데 초등학생도 아는 이 사실을 어른들은 전혀 모른다는 듯이 말 한마디로 회사 전체의 분위기를 엉망으로 만들고 심지어 회사의 우두머리라는 사람이 회사 분위기를 저급하게 만드는 단어와 행동을 스스럼없이 한다.

어디 한번 예를 들어볼까? 사장이 여직원에게 '미스 김'이라는 단어를 쓰고 거래처 손님이 오면 여자에게만 커피를 타라고 시키는 회사가 있다고 하자. 그 사장의 말과 행동이 계속해서 지속된다면 그 회사는 여직원에게 미스 김이라고 불려도 되고 커피 타는 사람이라는 분위기가 동시에 편견이 형성된다. 반면 어떤 회사는 자신의 손님이 올 때 자신이 커피를 타고 여직원에게는 OO씨라고 부르는 사장이 있다면 여직원을 향한 분위기와 회사 전체 분위기가 다를 것이다.

지금 예시는 고작 여직원이 커피를 타 주냐 마느냐지만 스케일이 커지면 이게 정말 무서워진다. 만약 사장이 직원을 폭언해도 괜찮다는 편견이 자리 잡고 직원을 때려도 된다는 생각이 지배하는 회사가 있다면 직원은 아무렇지도 않게 그것을 사실로 받아들인다.

최근에 난 사장이 여유롭게 치킨을 뜯어 먹으며 직원을 폭행해서 죽였다는 뉴스 기사를 본 적 있다. 노동자들의 인권이 바닥 수준이던 옛날 시절의 이야기가 아니라 몇 년도 안 된 실제 사건이다. 아르바이트생이 지각했다는 이유로 야구방망이로 때렸다는 기사를 접한 지 얼마 안 됐는데 또 그런 일이 발생할 정도로 회사 분위기를 자기 편한 대로 만들어 놓는 사장도 문제, 서서히 익어서 죽는 개구리처럼 그런 분위기를 곰곰이 고심하지 못한 직원도 문제다.

그런 사건에 대한 뉴스를 접할 때마다 난 회사에서 참 억울하게 죽은 원혼들이 많지 않을까 우려가 된다. 또한 직원들이 남기고 간

억울함, 분노, 사무친 원한들도 회사에 그대로 남아있겠지. 입막음을 당한 궁녀들이 묻힌 뒷산, 정신 나간 원장이 환자들을 실험했던 폐쇄된 정신 병원, 허가되지 않는 인체 실험이 벌어진 지하실에서는 온갖 오싹한 느낌을 느꼈다면서 왜 직원들을 죽음으로까지 내몰았던 회사, 그런 회사들이 모여 있는 공단에서는 오싹한 느낌을 느끼지 못하다니. 참 아이러니하다.

폐가보다 무서운 공단.

유령보다 무서운 사장.

우리가 월급 루팡이 될 수 없는 이유

혹시 이런 경험 있지 않은가? 유독 내가 입사한 회사만 업계에서 최악이고 유독 내가 맡은 업무만 그 회사에서 제일 힘든 업무라는 경험 말이지. 한두 번이라면 우연이라 생각하며 넘기지만 세 번 연속 그런 일을 당한다면? 그리고 앞으로도 그런 일을 계속 당할 것 같은 불길한 예감이 든다면? 걱정하지 마라. 당신은 매우 정상적인 사람이고 그 우연 역시 매우 정상적인 현상이니깐.

구직 사이트에 올라 온 수많은 일자리 중 평생직장으로 삼아도 될 정도로 좋은 일 자리는 손에 꼽을 정도로 없다. 당연히 구직 사이트에 활발하게 올라오는 자리는 퇴사율이 높은 기피 부서, 텃세가 심하고 상사가 이상한 사람이라 후임이 도망친 회사, 월급이 터무니 없이 낮은 곳이라 신입사원들이 툭하면 나가는 문제 많은 자리일 확률이 높다. 반면 우리가 조금 버틸 수 있겠다고 생각하는 자리는 이미 다른 사람들이 차지했고 그런 자리는 구인 공고가 올라오지 않는다.

이처럼 많은 직장인들이 자신의 업무가 제일 중요하고 제일 힘들다고 하지만 그 모습은 마치 자기가 있었던 부대가 제일 힘들다는 군필의 말처럼 지극히 주관적이고, 막상 버틸 수 없는 자리에 있는 사람은 그런 찡찡거림 대신 싸한 느낌을 직감하고 다음 날 출근하지 않는다. 슬픈 점이 하나 있다면 그렇게 퇴사한 사람은 또 다른 회사에 입사하게 되더라도 그 회사에서 퇴사율이 가장 높은 자리에만 앉게 될테니... 그야말로 악순환이 반복된다는 점이다.

그렇다고 구직자가 누가 봐도 편하고 월급 루팡이 될 수 있는 자리에 앉기 위해서는 어떻게 해야 할까. 평생 아침 7시에 출근하고 저녁 10시 넘어서 퇴근하는 최악의 자리에 적응해야만 해야만 하는 운명은 너무 가혹하잖아. 다행히도 구직자가 월급 루팡이 될 수 있는 몇 가지 방법이 있긴 있다.

첫 번째, 분기별로 뽑는 대기업 및 중견기업에 취직하는 것인데 매번 힘든 자리만 비어있어 상시 채용하는 중소기업과 달리 대기업과 중견기업은 편한 보직이라고 말할 수 있는 부서 역시 채용 기간에 맞춰 채용하기 때문에 들어갈 수 있다. 다만 그 경쟁률은 기피 부서에 비하면 매우 치열하겠지.

두 번째, 고통스러워도 무조건 버틴 후 높은 자리에 오르면서 부하 직원에게 업무를 떠넘기는 것이다. 부하 직원에게 존경? 배우고 싶은 선배님? 그딴 거 다 포기하고 월급 루팡이 되고 싶다면 교묘하고 은밀하게 자신의 업무를 부하 직원에게 넘겨버려라.

대표적인 사례가 바로 사회복무요원에게 분실물 업무를 맡긴 서울교통공사 직원 사건 아니겠는가. N번방 사건 이후 2020년에 사회복무요원이 승객의 개인정보를 취급하는 업무를 해서는 안 된다는 법이 생겼음에도 불구하고 이미 짬밥 드실 대로 드셨던 분들은 편하디편한 방법을 포기할 수 없어서 승객 분실물 관리 업무를 사회복무요원에게 맡겨버린 사건 말이다.[1] 나 역시 맨날 자리를 비웠던 팀장의 업무를 대신했고 사장의 사적인 업무인 '오피스텔 입주자 관리'에 관한 서류까지 만들었으니, 직급이 높을수록 일을 떠넘길 수 있는 권한을 이용하여 최대한 월급 루팡이 되도록 하자.

마지막 세 번째, 눈에 불을 켜서라도 월급 루팡이 다수 분포된 업종에 종사하는 것이다. 사회복무요원에게 분실문 관리 일을 맡겼던 서울교통공사를 비롯해 많은 공기업 중에 상상 이상으로 월급 루팡들이 많으니 그런 직종을 찾아보면 좋다.

다만 월급 루팡이라고 해서 모두 좋은 것은 아닌 월급 루팡도 월급 루팡 기질에 맞는 사람들만 버틸 수 있다. 예전에 난 월급 루팡이었던 적이 있고 하루 2시간만 일하고 나머지는 놀았을 정도로 일이 굉장히 널널했던 기억이 있다. 하지만 월급 루팡이라는 것도 웬만한 정신의 소유자가 아닌 이상 계속하기 힘들다. 지루하거든. 정말 미칠 듯이 재미없거든. 일이라도 바쁘면 시간이라도 빨리 가지만 월급 루팡은 하루 종일 웹툰 보고, 유튜브 보고, 시답잖은 연예인 뉴스 기사나 보다 보면 돈보다 더 귀한 나의 젊음을 쓰레기통에 산 채로 버리는 느낌이라 나는 정말 고통스러웠다. 내가 여기서 뭐 하고 있나, 라는 회의감도 들고 말이지. 그에 반해 회사 동기는 월급 루팡 생활에 아주 만족했으니, 마치 태어날 때부터 그것이 천직인 것 그 누구보다 즐기는 게 보였다.

분명 나 말고도 일을 하든 안 하든, 월급이 적든 많든, 일찍 퇴근하든 안 하든 회사안에만 있으면 그 모든 시간이 잿빛으로 보이는 사람이 있을 것이다. 이런 사람은 월급 루팡은 커녕 회사의 그 모든 것에 거부감을 느끼는 사람이니, 참 다시 생각해 봐도 나는 직장인의 체질이 아닌 것 같다.

참고 자료

1) 윤다정 기자, 「사회복무요원에 개인정보 업무를?…서울교통공사, 전수조사 착수(종합)」, 『뉴스1』, 2023년 7월 10일, "https://www.news1.kr/articles/?5103521"

월급 루팡은 아무나 될 수 없고
아무나 할 수도 없다.

만화 미생이 미생들을 더 힘들게 만들었다

텃세가 심한 회사에서 퇴사했을 때 팀장이 했던 말이 기억난다. "야, 너 미생 같은 것도 안 봤어? 회사가 원래 그런 거야". 나 참. 저 말에 도대체 뭐라고 답해야 할까. 그러면 주말드라마에서 재벌과 가난한 여자의 로맨스가 나왔다고 해서 현실의 모든 여자는 다 재벌하고 사귀어야 해? 며느리는 시어머니하고 머리끄덩이 잡고 싸워야 하고 시부모와 친정 부모가 모이는 화기애애한 식사 자리에서 입덧이라도 해 임신 사실을 알려야 해? 원래 드라마와 만화는 극적인 상황을 연출하기 위해서 과장된 면이 많다. 좀 더 풍부한 감정이 나올 수 있도록 다채로운 일이 벌어지고 울분이 나올 수 있도록 불합리하고 억울한 상황이 연출되며 높으신 분이 정의로운 말단 사원에게 패배하는 말도 안 되는 이야기, 그게 바로 드라마다.

그럼에도 불구하고 팀장은 왜 미생을 들먹이며 내게 그런 말을 했을까. 팀장은 미생이라는 만화를 통해서 무엇을 배웠고 무엇을 말하고 싶었던 걸까. 오랜 시간 동안 생각해 본 결과, 아마도 미생 속에 나오는 그런 회사 분위기와 그런 느낌의 사원을 원했던 게 아닐까? 주인공 장그래가 억울하고 불합리한 일을 당해도 참고 버티는 것처럼, 장그래의 사정을 봐주지 않고 무자비하게 대했던 회사처럼, 팀장은 그런 회사와 그런 사원을 원했던 게 아니었을까.

사실 난 만화 미생 열풍이 한창 불었을 때 그 만화를 쳐다보지도 않았다. 고깃집에서 일하면 고기 냄새만 맡아도 머리가 어지러운 것처럼 대기업 계약직으로 일했던 나로서 이미 알고 있는 냉정한 이야기를 또 보고 싶지 않았으니깐. 그러다가 눈썹 문신을 하기 위해서 차례를 기다리던 중 처음으로 그 만화를 보게 되었는데 내가 예상했던 것과 많이 달랐다. 훨씬 판타지스러운 것이다.

우선 미생 초반부에서 장그래를 포함한 4명의 직원이 인턴 생활을 하면서 돈독해지고 3명은 정규직, 장그래는 계약직으로 전환된다. 하지만 내가 다녔던 회사에서는 아예 정규직이 될 인턴과 계약직 및 특채로 입사한 인턴을 따로 분류하는 것으로 기억한다. 그리고 그 인턴 기간에도 계급이 나뉘는 것처럼 연봉, 복지 혜택, 책임감, 회사 사람들의 취급 그 모든 게 달랐다.

거기다가 만화에서는 계약직 장그래에게 진심 어린 조언을 해주는 상사와 진심으로 대해주는 직속 상사가 나오지만 실제 내가 계약직으로 일했을 당시 모든 직원이 날 거의 투명 인간 취급했다. 중요한 회의에서 제외하는 것은 기본, 사적인 자리에서 사적인 이야기하는 것은 거의 힘들었다. 마치 모두 내가 오래 다닐 수 있는 사람이 아니라는 것을 미리 알았다는 듯이 말이지. 덕분에 계약직 사원은 계약직 사원들끼리, 정규직 신입사원은 정규직끼리 뭉쳐 다녔고 그런 것을 보면 미생 속 회사는 오히려 계약직들이 원하고 있는 회사의 모습이 아닐까.

그런데 왜 나와 퇴사 상담을 했던 팀장은 미생에 나오는 판타지적이고 따뜻한 면은 전혀 보지 않고 직장의 냉혹한 면만 보게 되었을까. 미디어에서 냉정한 회사의 면모가 나오면 수긍하고 따라 하면서 왜 너그러워지는 쪽이 나오면 판타지다, 있을 수 없는 일이라고 부정하며 따라 하지 않느냐는 말이다. 회사의 냉혹한 현실을 소름 돋게 표현했던 만화 미생이 더욱 냉혹하고 소름 돋는 회사를 만드는 일에 이바지한다는 사실에 소름 돋았다.

물론 나도 안다. 회사는 이익을 최고의 덕목으로 추구하는 단체이기에 긴장감이 감돌고 너무 풀어져서는 안 된다는 것을. 그러나 이미 지나칠 정도의 팽팽한 긴장감과 오히려 있어봤자 도움 안 되는 부조리만 많아지고 있지 않은가.

야근 수당도 지급하지 않는 암묵적인 야근 문화는 애교, 한 사람을 죽음으로까지 내몰게 한 간호사의 태움 문화, 사장이 직원을 야구방망이로 후려쳐 죽게 만드는 기막힌 사연들이 생겨나는 이유는 바로 '회사니깐 이렇게 험해도 된다'라는 인식 때문이 아니던가. 그런데 마침 드라마에서 나오는 회사들도 하나같이 불합리하고 비리가 판치며 무자비한 곳으로 나오네? 야! 너두? 나두 그렇게 할래!

아무리 직장인들이 자신을 노예라고 우스갯소리로 말해도 진짜 노예가 되면 안 된다. 회사를 전쟁터라고 비유해도 진짜 사람 죽게 만드는 전쟁터로 만들자면 어쩌자는 건가. 냉정하고 가혹한 회사 이야기에 당연하다는 듯이 넘어가지 마라. 이것이 바로 냉혹한 직장생활이라고 거드름을 피우는 회사원이 있다면 스스로 창피한 줄 알아야 한다.

회사가 장난이냐고 말하는 자들의
유치하고 악랄한 장난.

비유 당한 사무원의 입장도 들어 봐야 한다

우선 나는 사무원이었다. 생산직 경험도 있지만 과거에도, 그리고 앞으로도 사무직으로 일만 할 정도로 사무직 경력과 사무직 자격증만 가득한 천상 사무원이라는 사실. 눈이 아플 정도로 액셀을 보고 거래처 직원이 오면 커피를 대접해 주며, 매주 수요일마다 사무실 청소를 하고 중도 퇴사한 신입사원을 대신해 땜빵으로 일해야 하는... 아무튼 결론은 사무원이 내 운명이라는 것이다. 정말 지긋지긋하다 지긋지긋해.

그런데 한 작가가 자신을 '사무원'으로 비유하며 수상소감을 밝힌 일이 있었다. 인터넷 밈 중에 똥 같은 요리를 할 때 똥의 입장도 들어봐야 한다는 말이 있는 것처럼 사무원으로 비유해서 수상소감을 말했으니, 사무원의 입장에서 한번 생각해 보았는데 굳이 왜 그런 비유를 썼는지 나로서 이해할 수 없다. 처음에는 정말 멋진 비유 같아 보였지만 하필 그가 받았던 상은 후배들이 거부하고 절필하면서까지 피했던 찜찜한 상이라서 그렇다.

우선 그 상을 받았던 작가들은 왜 절필하고 왜 수상이 예정된 작가들은 거부했을까? 간단하다. 그 문학상을 받게 되면 해당 작품의 저작권을 3년간 해당 출판사에 양도해야 하는 조항 때문에 부당함을 느낀 작가들이 필사적으로 거부한 것이다.

나는 전문적으로 글 쓰는 사람이 아닌 취미로 공모전에 출품하여 크고 작은 상들을 받았는데, 옛날에는 사람들이 저작권에 관한 조항에 매우 무지해서 그런 조항들이 많았지만 '구름빵 사건' 이후 변화의 바람이 불면서 저작권에 조심하는 분위기가 생기면서 저작물 이용 계약서도 함께 보내주는 일이 생겼다. 그런데 작가의 저작권을 보호해 주고 그런 분위기와 문화를 이끌어야 하는 전통 있는 출판사와 권위 있는 문학상이 정작 그런 모범을 보여주지 못한 것이다.

그런데 작가들이 거부하고 절필하면서까지 부당함을 표출했던 그 문학상을 한 선배 작가가 수상하면서 '규칙과 반복이 지배하는 사무원의 사무실로 갑자기 낯선 손님들이 찾아오는 사건처럼 이유를 따져 묻는 대신 다시 사무원처럼 내 일을 하려고 한다'라고 소감을 밝힘으로써 암울한 문학 시장을 더욱 암울하게 만들어 주는 슬픈 사연이 있는 상, 그렇기에 나는 그 상이 찜찜하다고 한 것이다.

또한 저 작가가 수상소감으로 자신을 사무원으로 비유했던 것도 불만이다. 너무 낭만적이야. 너무 자기가 보고 싶어 하는 사무원만 보고 있단 말이다. 도대체 그가 생각하는 사무원은 어떤 사무원일까. 현실에서는 존재하는 사무원이 맞긴 해? 마치 박범신 작가의 소설 <은교>를 보고 불쾌한 골짜기를 느꼈던 여성 독자들, SF 작가 듀나, 과거 소녀였던 나처럼 어이가 없으면서도 동시에 불편했다.

그러면 진짜 사무원은 어떤 사람이냐, 대박과 기적을 가슴 속에 품고 있지만 어쩔 수 없이 포기해야 하는 복잡한 사람이다. 묵묵히, 반복적인, 규칙적인 성격을 사무원의 미덕이라며 기업과 사장들이 주입해 보려 하지만 어떻게 해서든 벗어나고 싶어 하는 사람이다. 로또만 당첨되면 회사를 뛰쳐나가겠다고 다짐하는 승부사이자 가망성 없는 주식에 기적을 바라며 월급을 몽땅 때려 박는 무모한 도박사, 회의감과 분노를 좁아터진 사무실보다 더욱 좁아터진 마음속에 담아두어야 하는 사람, 그게 바로 사무원이다.

다만 한 가지 행동만은 그 작가와 사무원과의 공통점이 있었으니, 그건 바로 후배 작가의 저항정신에도 불구하고 어떠한 언급도 없이 수상에 감사하다며 이유를 묻지도 않겠다고 말하는 침묵의 행동이다. 그건 마치 회사에 성과를 이루어 냈지만 부당함을 느낀 후배들이 단체 퇴사를 했고 팀장은 이 성과를 누구에게 돌려야 하나 고민하던 끝에 만년 과장을 승진시켰는데 그 과장이 승진 이유를 묻지도 않고 회사에 충성하겠다고 말하는 모습, 그 모습과 매우 유사해 보였다.

사무원이 작가에게 낭만 찾듯이
작가도 사무원에게 낭만을 찾는가.

나쁜 회사는 모든 것을 애사심으로 퉁 치려고 한다

도를 아십니까? 하는 여자들은 꼭 방실방실 웃으면서 다가오더라. 그게 다 웃는 얼굴에 침 뱉지 못하게 만들어서 스스로를 보호하려는 작전인 거 다 안다. 그런데 그런 속 보이는 작전은 이제 초등학생에게도 통하지 않는다고 생각했지만 회사에서는 아직도 '착한 척'이라는 게 통했고 생각보다 많은 사람이 그 방법에 넘어갔다.

그래. 누가 봐도 나쁜 규범에 나쁜 전통을 가지고 있는 회사인데 같이 일하는 사람이 착하다는 이유로 끝까지 참고 버티는 사람들이 생각보다 많았다. 그들 역시 친절 외에는 이 회사의 장점이 없다는 것을 알지만 하나같이 너무 친절했기에 계속 근무하고 싶게 만드는 이상한 매력이 있었고 특히 다른 회사에 안 좋은 인간관계를 경험하고 온 신입사원들은 소속감과 정에 취해서 본인이 착취당하고 있다는 사실조차 모른 채 계속 근무를 한다.

나 역시 사회 초년생 시절 그런 회사로부터의 유혹을 정말 많이 받았다. 이 회사, 저 회사, 어디 모자란 것들의 텃세에 버티지 못하고 힘들었을 때 인사과 분의 친절한 면접 요청과 이것저것 말을 걸어주시던 직원들의 모습에 저도 모르게 그 회사에 평생을 바치고 싶어질 정도였다. 그러나 그 회사는 채용공고와 다르게 기피 직종만 잔뜩 모아둔 회사였고 친절과 소속감 하나로 신입사원을 어떻게 잡아보려는 파리지옥 풀 같은 회사였다.

사회 초년생 시절뿐만이 아니라 어느 정도 사회생활을 하고 난 후에도 이런 회사를 자주 만났는데 특히 예체능 계열의 회사는 애사심, 업종에 대한 열정, 직원들끼리의 동료애를 밀어붙여 낮은 임금에도 장시간 근무를 뻔뻔하게 요구하는 회사들이 많았다.

물론 말 한마디에 천 냥 빚도 갚는다는 말이 있지만 상냥한 말 한마디로 턱없이 낮은 연봉이 충당해 줄까? 애사심 하나로 12시간 근무의 이유가 될까? 그렇다면 그런 회사는 앞으로도 친절과 애사심 하나로 다른 회사와의 인재 경쟁할 생각인가?

나 어린 시절에 "아빠 힘내세요~ 우리가 있잖아요!"라는 노래가 유행했었고 아빠 외에도 소방관, 경찰관, 군인을 향한 응원가로도 많이 사용됐었다. 그걸로도 부족한지 수업 시간에 한 번도 본 적 없는 군인 아저씨와 경찰 아저씨, 소방관 아저씨에게 편지 쓰기까지 시켜서 했건만 과연 그 편지를 받은 아저씨들은 행복했을까?

물론 아이들의 서투른 응원에 행복해하고 그 편지를 영원히 간직

하는 사람도 있겠지만 진짜 군인과 소방관을 힘내게 해주고 싶다면 어쭙잖은 응원보다 그분들의 연봉과 복지 향상에 대한 민원을 내주는 게 더 많은 도움 된다고 나는 생각한다. 안 그래도 소방관에 대한 인력 부족과 적은 연봉은 예나 지금이나 문제인데 그것을 사명감 하나로, 응원 하나로 퉁 치려는 건 아무리 봐도 너무 하잖아.

말 한마디로 천 냥 빚은 갚아도

천 냥이 될 수는 없다.

다단계 회사가 재택근무를 들먹이는 이유

한 사람의 인생을 나락까지 떨어트리는 다단계. 그 다단계는 계모임, 종교모임, 동호회, 하다못해 사람이 많아 보이는 길거리까지 찾아가며 침투해 왔고 이젠 사람들이 인터넷을 많이 하다 보니깐 온라인으로까지 쫓아 왔다. 비록 인터넷이라 그들의 얼굴은 보이지 않았지만 부자연스러운 미소와 과도하게 친절한 멘트가 보이는 듯한 가식적인 냄새를 인터넷에서도 풍겼고, 덕분에 난 면접 보기로 한 회사가 다단계인 것을 알고 면접을 취소할 수 있었다.

생각해 봐라. 인터넷이라는 곳은 누구를 잡아먹지 못해서 안달 난 곳이다. 지금 다니는 직장, 과거에 다녔던 직장까지 물어뜯고 욕하는 곳이 인터넷인데 자신이 다니는 회사가 좋다고 과도하게 찬양한다면 사이비, 다단계 둘 중 하나라는 뜻밖에 더 돼?

결국 자신의 속내를 들킨 다단계 회사는 부랴부랴 내게 실적에 따른 인센티브를 지급해서 연봉이 높을 것이고 일이 편하며, 특히 재택근무를 할 수 있다는 점을 들먹이며 입사를 부탁했다. 하지만 인센티브가 있다는 것은 임금이 불안정하다는 뜻이고 일이 편하다는 것은 단순 반복 업무로써 물경력이 되기 쉬운 직종이며, 재택근무를 하는 회사는 백이면 백 피해야 할 회사라서 입사를 거절했다.

그렇다. 재택근무라는 말이 나의 의심을 증폭시켰을 만큼 재택근무를 거들먹거리는 회사가 있다면 반드시 피하고 보는 게 맞는 거다. 물론 재택근무를 하는 모든 회사를 피해야 하는 건 아니지만 취업준비생들이 취업 준비를 하다 보면 잘 알 텐데 재택근무자를 구하는 글 90%, 아니 99%가 다단계, 바이럴 마케팅, 텔레마케터, 대출 관련 일처럼 기피 직종인 경우가 많다.

그럼에도 불구하고 항상 기피 직종과 다단계들이 계속해서 재택근무로 사람들을 유혹하고 있다는 것은 그만큼 재택근무가 직장인에게는 매우 매력적인 근무 요건이고, 확실히 인생 행복도를 팍 떨어트리는 출퇴근 지옥으로부터 자유로워지고 복장에 대한 자유도 있으며, 상사와의 대면이 적다는 것, 워킹맘의 경우 아이를 곁에 둘 수 있다는 것만으로도 충분히 직장인들을 매료시킬 만하다.

직원뿐만 아니라 회사에서도 재택근무를 하면 좋은 점이 많은데 우선 출퇴근의 제약이 없으니 능력 있는 타지 사람, 거동이 불편한 장애인들을 고용할 수 있다는 점, 전기세 같은 경우도 회사가 부담할 필요 없다는 점, 비싼 임대료를 주고 사무실을 계약할 필요 없다는 점이 있다.

이렇게 보면 회사도 회사원도 모두 이로운 제도임에도 불구하고 단 한 사람, 회사의 지도자인 사장만큼은 재택근무를 선호하지 않는다. 여러 가지 이유가 있겠지만 우선 인터넷과 메신저에 익숙하지 않은 나이대에 사장들이 많다는 점, 온라인보다 오프라인에서 직접 일하는 모습을 봐야지 감시의 욕망과 통제의 욕망이 충족된다는 점, (이 욕망이 지나친 사장 중에서는 사무실 안에 CCTV를 설치하고 실시간으로 감시하는 사장도 있다) 내 돈 주고 부려 먹는 회사원의 모습을 직접 봐야 의심이 해소된다는 점 역시 있다.

　또한 한국은 눈치 문화를 가진 고맥락 사회이기 때문에 온라인으로 눈치를 줄 수 없기에 재택근무를 기피 하는 것도 있다. 사장이 엣헴 거리면 알아서 행동하던 사원들이 재택근무 할 때는 볼 수 없지 않은가. 뭐 채팅창으로 엣헴엣헴 한다고 해서 인쇄를 대신 해주고 거래처 손님의 커피를 타 줄 수 있는 것도 아니고 말이지. 코로나 바이러스가 한창일 때 마스크 써서라도 꾸역꾸역 출근시키는 사장님의 마음, 자기는 사장실에서 마스크 벗고 편하게 있지만 사원들은 답답한 마스크 쓰면서까지 사무실로 나오라는 이유는 다 있다.

　한국뿐만 아니라 '재택근무를 바라는 사원 VS 재택근무를 바라지 않는 사장'의 구조는 세계적인데 워싱턴포스트와 여론조사 업체의 최근 설문조사에 따르면 재택업무 근로자의 55%는 "원격 근무를 유지하기 위해 월급 삭감도 감수할 수 있다"고 답할 정도였다.(1 하지만 직원들의 바람과 달리 뉴욕 연방준비은행 및 MIT 연구 결과

재택근무 시 업무 효율성이 떨어진다는 데이터와1 과거 직원의 40%를 재택근무 시켰던 IBM이 재택근무를 전면 폐지한 행적으로 보아 재택근무는 아직 먼 나라, 먼 행성, 먼 우주 이야기인 것 같다.

어떻게 해서든 개별성을 지키고 싶은 회사원과 어떻게 해서든 개별성을 상실시켜 회사의 일원으로 만들려는 사장, 만약 사람이 기계였다면 개별성을 지키고 싶은 욕구가 없어서 재택근무를 선호하지 않았을 테지만 하필 사람인지라 그런 욕구가 있기에 재택근무를 둔 사원과 사장의 싸움은 영원할 것으로 보인다.

특히 개인주의적인 미국에서조차 재택근무에 대한 전망을 예측할 수 없는데 이력서에 사진과 생년월일까지 박아 넣고 면접 때는 사생활을 꼬치꼬치 캐묻는 한국 회사들이 재택근무에 대해서 긍정적으로 생각할까? 회사와 직장인의 관계보다 영혼까지 감시하고 영향력을 행사하려는 주인과 노예 관계를 선호하는 한국 기업이 개인주의의 끝판왕인 재택근무를 시행한다는 게 가능하기는 할까?

아마 그 싸움이 끝날 때쯤이면 다단계도 재택근무를 빌미로 사람들을 유혹하지 않겠지만 아직은, 그러니깐 한 100년 정도는 다단계의 재택근무 유혹을 받을 것 같다.

참고 자료

1) 안중현 기자, 「구글 직원들 "회사가 학교냐" 화난 이유」, 『조선일보』, 2023년 7월 13일, "https://www.chosun.com/economy/weeklybiz/2023/07/13/6HV6D7AKBRBB7CT3WCRSB4UDRA/"

♥ 재택근무 ♥

좆소기업도 대기업도 가지고 있지 않은
워라벨, 칼퇴, 그리고 성취감

　도대체 얼마나 중소기업이 싫으면 '중'자를 '좆'자로 바꿔서 좆소기업이라고 부를까. 아르바이트를 하면 했지 좆소기업에는 죽어도 입사하지 않겠다는 사람들의 결의가 유난히 강한 이유는 무엇일까. 좆소기업에 겪었던 억울함, 분노가 유난히 인터넷에 많이 떠돌아다니는 이유는 무엇일까. 좆소기업의 면접부터 퇴사 그 모든 게 부조리하다고 외치는 사람들은 왜 이리도 많을까.

　사실 모르는 척, 궁금한 척, 거리를 두는 척했지만 난 그들의 마음을 아주 잘 알고 있다. 나도 중소기업에 다녔었거든. 대기업보다 부족한 인트라넷과 야근 수당과 휴일수당에 대해 무지한 사장 아래서 일했고 사장의 친인척이 낙하산으로 입사하는 것을 목격했으며 직원을 무슨 부품으로 알듯이 하대하는 삭막한 분위기를 경험했고 그래서 중소기업을 무슨 악의 축, 절대 가서는 안 되는 악의 구렁텅이로 표현한 인터넷 글에 어느 정도 공감하는 바가 있다.

　다만 중소기업은 이러이러해서 최악이니깐 대기업에 들어가고 싶다는 말, 같은 나이대의 애가 대기업 다니는 데 난 중소기업을 다녀서 자존심 상하니 당장 대기업으로 이직하겠다는 말, 초봉도 높고 워라벨도 보장되며 중소기업보다 상식이 통하는 상사가 있을 거라는 말, 백수 기간이 길어져도 무조건 대기업에 지원할 가치가 있다는 말에는 동의할 수 없다. 어디 도망친 곳에 낙원이 있으랴. 그것도 회사에서 낙원을 찾다니. 미친 짓이지 뭐.

　우선 우리는 대기업과 중소기업 사이의 편견을 좀 걷어낼 필요가 있다. 보통 드라마와 영화 속 중소기업 사장의 로비 장면을 보면서 중소기업이 대기업의 한참 아래에 있다고 생각하는 몇몇 취업준비생들이 많은데, 물론 생산업계 구조상 하청 업체가 부품을 만들고 대기업에게 납품하는 구조라서 대기업이 갑인 경우가 많지만 반대의 경우, 오히려 대기업에서 부품이 급한데 오직 한 곳에서만 그 부품을 전문적으로 다루고 생산한다면 그때는 오히려 대기업이 먼저 수그려야 하는 상황이 오게 된다.

　거기다가 영화 속 장면처럼 노골적인 갑질을 해봤자 대기업 입장에서도 좋을 것 하나도 없다. 만약 중소기업에서 제품을 제때 공급하지 않으면 대기업 공장 라인이 올스톱, 그러면 대기업에서도 금전적 손해를 만만치 않게 보기 때문에 좋든 싫든 중소기업과 단합하는 구조로 갈 수밖에 없다. 즉 드라마에서처럼 부려 먹기는 거의 불가능하다는 소리다.

두 번째로 흔히 하는 착각은 대기업이 중소기업보다 워라벨이 더 좋을 거라는 생각인데, 물론 연봉, 상여금, 성과금과 같은 면에서는 중소기업보다 좋지만 문제는 많이 받은 만큼 많이 일해야 한다는 점이다.

지금 포괄연봉제로 야근 수당도 못 받고 16시간 동안 일하는 과거 나의 사수님이 대기업에 근무하고 계신다. 그의 옆에는 대기업의 살인적인 노동량을 몸소 체험한 신입사원도 있겠지. 어렵게 대기업에 입사했는데 1년도 버티지 못하고 퇴사한 신입사원이 수두룩한 이유는 모두 대기업 판타지를 잔뜩 기대하다가 야근만 하는 현실에 실망해서 도망친 게 아닐까?

마지막 편견은 바로 대기업 일자리는 중소기업보다 안정적이라는 것인데 중소기업은 한 번 사람을 뽑으면 스스로 나가지 않는 이상 계속해서 오래 두는 편인 데 반해 대기업은 영업 이익 감소에 대한 우려로 구조조정의 바람이 시도 때도 없이 분다. 실제로도 중견기업에서 일하시던 차장님이 하청 업체로 입사해 20살이나 어린 신입사원과 함께 사원직급 달고 일하시는 걸 난 직접 봤다. 만약 그분이 드라마 속 갑질하는 대기업 사원처럼 나왔다면 지금쯤 어떻게 되셨을까.

이처럼 대기업은 천국, 중소기업은 지옥이라는 이분법에서 우리는 벗어날 필요가 있다. 해 봤자 부품이잖아. 대기업이든 중소기업이든 어차피 직원인 이상 교체 가능한 부품인데 뭘 그거 가지고 급을 나누고 싸우냐는 거야? 이곳저곳 이력서를 내고 입사할 정도의 나이가 되면 대기업 뽕, 대기업 판타지에서 벗어날 나이도 됐잖아. 명문대만 들어가면 모든 게 다 해결될 거라는 부모의 말에 속은 지 얼마나 됐다고 또 대기업에 가면 모든 게 해결될 거라는 생각을 하냐는 말이다.

우리는 사장이냐 직원이냐의 차이를 봐야지, 대기업이냐 중소기업이냐의 차이를 봐서는 안 된다. 직원이 아무리 천년, 만년 일해 봐야 사장이 버는 돈을 못 따라가는 것처럼 우리가 필요한 것은 직원으로서의 마인드가 아닌 사장으로서의 마인드다. 아무리 작은 회사라도, 심지어 1인 기업이라고 해도 자신이 직접 운영하고 확장하는 방법을 터득해야만 단순 반복적인 월급의 굴레에서 벗어날 수 있고 그제야 비로소 직원 시절 때 그렇게 목말라하던 워라벨, 높은 연봉, 보람과 성취감을 직접 손에 쥘 수 있다. 공기업이냐 대기업이냐 중소기업이냐 그런 건 전혀 중요하지 않다니깐? 중요한 건 주인이냐 아니냐인 것이다.

사노비, 공노비, 외거노비 싸움에
양반들만 웃는다.

에필로그

나는 본인의 그득그득한 욕심을 하소연이라는 이름으로 포장하는 사람을 별로 좋아하지 않는다. 특히 회사의 대표라던 사장 중에 이런 행동을 하는 사람들이 상상 이상으로 많다. 대표적으로 두 명의 사장이 기억나는데 하나는 이삿짐센터 사장, 다른 하나는 전자책 출판사 사장이다.

독립하려고 이삿짐센터를 구하던 중 한 이삿짐센터에서 연락이 왔고 그곳에서는 무려 120만 원이나 되는 이사비용을 요구했다. 짐이 많은 것도 아니었다. 1톤 트럭의 절반 정도밖에 안 되는 짐이었고 다른 이삿짐센터에서는 20만 원에 부르던 비용을 무려 6배나 부풀린 것이다.

화가 머리끝까지 났지만 침착하게 다른 이삿짐센터와 너무 차이가 난다고 했고 그제야 자기가 씌우려던 바가지가 들통나자 "저희도 먹고살아야 하지 않겠습니까? 하하."라며 뭔 말 같지도 않은 말을 하고 있었다. 그러고는 철면피를 깔면서 그 가격에 할 거냐고 되묻기까지 했으니... 다른 것은 몰라도 그 이삿짐센터는 오래가지 못하리라고 나는 장담한다. 왜냐면 본질을 잃어버린 회사는 늘 오래가지 못하니깐.

146

전자책 출판사도 이삿짐센터와 똑같았다. 혹시 출간 후 수정할 수 있는 기능이 있냐고 물었더니 본인의 실명과 계좌번호, 납득이 가지 않을 만큼의 높은 수정 비용을 요구해 놓고서는 돈을 보내주면 수정하겠다는 내용을 적었다. 계약서에도, 심지어 내부 지침 그 어느 곳에서도 적혀 저 있지 않은 수정 비용을 대뜸 요구하는 게 이상하다고 말했더니 "저희가 일이 많아서, 신규 도서 작업하기 위한 시간이 부족해서, 수정을 요청하는 사람이 많아서 어쩔 수 없이 불가피하게."라는 말을 쓰는 모습에 예전 이삿짐센터 사장의 모습이 떠올랐다.

업무가 바쁘면 사람을 더 뽑던가, 그것도 아니면 출판 후 수정 작업은 전면 금지라고 계약서에 명시하던가, 본인에게 돈만 주면 언제든지 가능하다는 서비스인 것처럼 계좌번호를 빠릿빠릿하게 적는 모습이 상상되자 저도 모르게 이마를 쳤다. 심지어 그 출판사는 전자책 출판사 중 가장 낮은 인세를 주기로 유명한 곳임에도 불구하고 제공하는 서비스는 아주 엉망이었다.

이처럼 회사들의 착취는 강자와 폭력의 얼굴을 하지 않는다. 자신이 피해자인 척 유들유들한 표정을 지으며 "어쩔 수 없이, 불가피하게, 우리도 먹고 살아야 하니깐, 요즘 물가가 힘들어서, 인건비가 높아져서, 저희가 일이 바빠서"라면서 점점 그 방법이 교묘해지고 있다. 소비자가 당연히 누려야 하는 것은 야금야금 잃어가고 기업에게 제공해야 하는 것은 점점 더 늘어나고 있는 시대, 키오스크, 셀프 계산대, 접시도 테이블 위에 올리지 못하는 로봇 종업원을 사용해 부족한 노동력을 소비자에게 떠넘기고 노동자들에게는 개인 메신저로 업무 소통을, 이력서에는 가족들의 생년월일까지 적어야 할 정도로 사생활을 골수까지 빼앗고 있다.

눈부신 경제 성장에도 불구하고 사람들이 번아웃, 하얗게 불태웠어, 힐링이 필요해를 단말마처럼 외치고서 정신적인 죽음인 무기력에 빠진 이유, 취업포기자라는 단어가 한국에만 있는 것이 아닌 일본에는 니트족, 미국에는 안티 워크, 중국에는 탕핑족이라는 단어가 있는 이유는 기업의 교묘한 통제와 착취에 지쳐서, 개인의 삶은 물론 모든 것이 기업만능주의로 돌아가서 포기하고 싶어 그런 거다.

그래. 이제 슬슬 대가를 치러야 할 때가 온 거다. 이 나라의 성장이 우리의 성장이고 회사의 성공이 우리의 성공이며, 기업이 원하는 인재상을 삶의 목표로 삼지 말았어야 했는데 우린 복잡한 성장과 심오한 성공, 삶의 목표를 너무도 쉽게 회사에 의존해 왔고 이에 대한 대가로 정신적 죽음, 즉 무기력의 대가를 받는 것이다.

우린 더 늦기 전에 반드시 찾아야 한다. 그동안 회사에게 떠넘겼던 근본적인 질문들에 대해서 직접 찾아야만 한다. 돈이 안 된다고 하더라도, 경력이 끊겨서 매력 없는 구직자가 된다고 하더라도, 블랙리스트가 된다고 하더라도, 결혼 시장에서 좋은 평가를 받을 직업을 가지지 못하더라도 또다시 끝도 없는 무기력에 빠지지 않기 위해서는 말이지.

회사라는 이름의 가스라이팅

발　행 | 2024년 1월 2일
저　자 | 옥덕순
펴낸이 | 한건희
펴낸곳 | 주식회사 부크크
출판사등록 | 2014.07.15.(제2014-16호)
주　소 | 서울특별시 금천구 가산디지털1로 119 SK트윈타워 A동 305호
전　화 | 1670-8316
이메일 | info@bookk.co.kr

ISBN | 979-11-410-6345-0